わかな十五歳

中学生の瞳に映った3・11

わかな

ミツイパブリッシング

まえがき～十五歳の私へ

授業中、教室の窓《まど》から外をながめ、言いようのないさまざまな感情が入《い》りまじる中、ノートに「死にたい」とふるえる手で書いていたあなたは、十年という月日をへて「生きる覚悟《かくご》」を伝える活動をしています。

この十年をふりかえれば、十五歳のときに東日本大震災と原発事故があり、暗黒《あんこく》の高校三年間をへて十八歳のときにようやく、自分の経験を人に話せるようになりました。そして十九歳のときに山形から北海道に移住し、二十三歳のときに本格的に講演活動をはじめて、二十五歳の今、こうして本を書くことになりました。

あなたには十年先の未来なんて想像できなかったでしょう。生きるのがつらくて。私はあなたにまず、「生きてきてくれてありがとう」、と伝えたい。あなたが生きることを選んで、ここまで歩んできてくれたことが、今の私にとっていちばんの贈りものです。ありがとう。今の私は幸せに暮らしています。

私が自分の体験を公《おおやけ》の場で話すようになってから、毎年三月にメディアの方から質問されるのは「〇年たってどうですか」ということ。

正直、「どうですか」って漠然《ばくぜん》としすぎていて、私はいつも返答に困ってしまいます。早かったような、遅かったような、それでいて、原発事故は終わってもいないのに……。心の傷がなくなることなどないのに……。

毎年風化《ふうか》していくのを肌で感じていて、とてつもなく寂《さび》しい。そんなことを、話します。が、本当はメディアの人に言いたくてもなかなか言えずにいることがあります。それは「いつもあなた方はきれいに片づいたようなところばかり映して『本当の生々《なまなま》しい部分』や『まだ片づいていないこと』については沈黙《ちんもく》していますよね」ということ。この三月の時期が近づいたときだけ大きな枠《わく》で取り上げて、これだけ東日本大震災から復興《ふっこう》した、原発はコントロールされている、そんな言葉が耳をかすめるたび、心の中がざわざわするのです。

二〇一一年に原発事故が起きてから十年たった今も、この国ではまだ原子力緊急事態宣言《げんしりょくきんきゅうじたいせんげん》が解除《かいじょ》されていません。原発事故は終わっていないのです。原発事故を経験した十五歳のとき、私が思ったことは、「私はこのことを死ぬまでいやでも背負《せお》っていくのか」ということでした。

伊藤詩織さんの講演会を聞きに行ったことがありますが、「あったことをなかったことにはできない」という彼女の言葉を聞いたときに、私は自分の伝えたいこともまさにそれだ、と感じました。

事実は誰にも消せない。誰かが隠《いん》ぺいして都合のいいことだけを並べ立てたとしても、あったことをなかったことにはできないのです。いくら隠《かく》そうとしても、そこにはずっと変わらない「事実」があるのです。

十五歳の少女だった私が当時からこの十年間、何を見て何を感じてきたのか、この本で読者のみなさんに知ってもらいたいと思っています。そして、私が今、何を希望に生きているのかを、伝えたいと思います。

トンネルの中にいたあなたには、このトンネルに終わりがあるなんて思いもしなかったでしょう。死ぬほどつらかったあなたに今の私ができることは、この本であなたが経験してきたことを記《しる》すことだと思っています。あなたが精一杯生きてきたことを、私は知っています。

当時十五歳だったあなたは「死にたい」と思っていたし、誤解《ごかい》をおそれずに言えば、一度あのときあなたは死んでしまった、と言っても言いすぎではないように思います。そのくらい、あなたは苦しんでいて、死にたいと思いながらも、必死に生きるためにあがいていました。

そんなあなたのことを知って、支えてくれる人が十年後のあなたのまわりには、たくさんいます。長く暗いトンネルから出て、十年後のあなたは希望の光の中に立っています。

あなたを理解しようとしてくれた人たちのおかげで、今の私がいます。あなたがあなた自身と真正面《ましょうめん》から向き合って、真摯《しんし》に歩んできたからこそ、今の私がいます。そのことに心から感謝します。本当にありがとう。

この本が当時苦しみ、自分には何もできないんだと思っていたあなたへの鎮魂歌《レクイエム》になりますように。そして、あなたと同じように生きることがつらいと思っている人の助けになりますように。

最愛のあなたと私に贈る。

もくじ

1　事故前のこと

大人の言うことを聞く子どもだった

この本では、私が原発事故でどんな経験をしたのかを伝えたいと思っていますが、その前に私が原発事故前、どんな日常を送っていたのかを書いてみたいと思います。先に原発事故の経験談から読みたいという方は、2章からお読みください。

私は中学校では優等生でした。先生の言うことはもちろん、親の言うことも聞く。それが正しいと思っていました。中学三年間は、それまでの十五年でもっとも輝《かがや》いていた三年間だったようにも思います。私は完全に学歴社会のレールに乗って、競争社会の中を生きていました。私はそれをよかれと思って生きていました。というか、それが当たり前なのだ、とわりきって生きるようにしていた、と言ったほうがいいかもしれません。

もともと、小学生のときはいわゆる劣等生《れっとうせい》で、九九もクラスで下から二番目に覚えました。漢字も覚えるのが苦手で、人の何倍も復習しなければ覚えることはできませんでした。体育で走っても、いつも下から二番目。何をしてもそんなふうでした。どうして怒られているのだろうか、どうしてできないのだろうか……。そんな気持ちをいつも抱えていました。小学三年生のときだったでしょうか。ランドセルを背負《せお》って学校からの帰り道を歩いているときに、「どうして私は生きているんだろうか」と思うのと同時に「自分には何か役目があってここに来たんだ」と、根拠《こんきょ》もなく感じて空を見上げていたのを今でも覚えています。

なぜ私は生きているの？

それからたびたび、なぜ私は生きているのだろう、と考えるようになりました。それは当時の私にとって、言いようのない不安を感じる問いでした。この世に私が存在していいのかわからないという思いから、私は自分の存在がおそろしくなり、小学校高学年のときに家の二階から飛び降りようとしたことがあります。これは親は知らないことですが、部屋に弟が一緒にいて止めてくれました。

私は自己肯定感《じここうていかん》がとても低い子どもでした。そんな私に転機《てんき》が起こったのは小学五年生のとき。祖父から勉強のことでとてもほめられたことがきっかけでした。当時、テストの点数に応じておこづかいがもらえたので、お金ほしさに勉強していました。しかし、祖父にほめられたことで私はとても気持ちが高ぶって、もっとがんばろう、と思ったのです。親以外の誰かにほめてもらったことがなかった私は、勉強すればこんなにほめて、認めてもらえるんだ、とうれしくなりました。

それから私は、人の何倍も勉強するようになりました。すると学ぶことの楽しさにも、気づいていきました。自分から学ぼうという意欲がわき、好奇心《こうきしん》に火がついて、勉強が楽しくなったのです。友だちとかかわる時間よりも、ひとりで勉強する時間を優先《ゆうせん》しました。親も私の成績があがるとほめてくれて、よく笑ってくれるようになったので私はそれがうれしくて、さらに勉強にはげみました。しかし、ケアレスミスを親から叱責《しっせき》されることも多くありました。九八点のテストも結果をほめられる前に、どこで間違えたのかをチェックされ、責《せ》められました。私は、自分は注意力がなく、ケアレスミスが多い人間なのだと思いこみました。「私がわるいから怒られているのだ」と、素直に思っていました。

保健室が居場所に

小学五年生くらいのときは、私はまわりの子たちから浮《う》いている存在でした。自分でも、同級生より先生と話していたほうが楽だと思っていました。大人の顔色をうかがい、察《さっ》する子どもでした。そんな私は、「先生にひいきされている」と言われるようになり、いじめのターゲットになりました。

きっとそのうちおさまるだろう、がまんしなければ、と思っていましたが、小学五年生のころからはじまったいじめはエスカレートして、六年生になってもつづきました。担任の先生にも相談しましたが、なかなか対応してもらえず様子見の状態がつづいていました。私は孤立《こりつ》し、ある日耐《た》えきれずに、授業がはじまるまえにトイレに駆《か》けこんで隠《かく》れたことがありました。

それを見ていた友人がいました。その友人は様子を先生に伝えてくれて、ようやく先生が私をいじめていた子たちを呼び出して、指導してくれました。その子たちの親も謝《あやま》りに来ましたが、いじめは止まったものの、その後もいやがらせはつづきました。あのとき助けてくれた友人は、私にとって神様のような存在でした。

あのころ、よく胸がモヤモヤする、と言って保健室に通っていました。今でもときどき、あの症状が出ることがあります。それは根拠《こんきょ》のない不安におそわれたときです。保健室に通っていた小学生の私には、そのモヤモヤの理由はもちろんわかりませんでした。だからただ、なんだかモヤモヤする、と言っていました。どんな感情なのかもわからず、とにかくモヤモヤするとしか表現できなかったのです。また、足が痛くなることもありました。親に「成長痛でしょ?」と言われ、病院に行って検査してみると

「甘えん坊病かなー」と医者から言われてしまったのです。なんだか恥《は》ずかしい気持ちになりました。

養護教諭になりたい

今ふりかえれば、その胸のモヤモヤも、足の痛みも、愛情の不足によるものだったのだろう、と理解できます。誤解《ごかい》がないようにつけ加えると、親が私に愛情をかけてくれなかった訳ではないのです。ただ、子どもらしく生きることよりも、親に迷惑《めいわく》をかけないように生きなければならなかった、というのが私の現実でした。親に甘えることができず、心に蓄積《ちくせき》したものが体に表れたのだろうと思います。親に恥ずかしい思いをさせてはならない、とも思っていました。親からも、「人に迷惑をかけるな」と言われて育ってきました。のちに、この考えが自分の首を絞《し》めることにつながっていくのですが、当時の私は、それは正しく、当たり前のことだと考えていました。

いじめがはじまったころから保健室通いをしていた私にとって、養護《ようご》教諭《きょうゆ》の先生は、心のよりどころでした。先生でもなければ、親でもない立場の、信頼できる大人でした。考えてみれば、いじめのことだけでなく、集団行動や競争社会に疲《つか》れて、学校や家庭でも言葉にはできないモヤモヤを抱《かか》えていた私にとって、保健室は唯一、自分らしくふるまえる場所だったのかもしれません。いじめがようやくおさまった六年生の後半には、保健室では笑って話せるようになり、いつか私も養護教諭になりたい、と思うようになりました。養護教諭は目に見える傷だけではなく、見えない傷も手あてすることができる、子どもたちの心のよりどころなのだ、と思ったのです。

進学校をめざして

中学校の三年間は、生徒会と勉強に力を入れて進学校に入るために努力しました。入学後最初のテストであまり芳《かんば》しくない順位だったことから、部活動をやめて勉強と生徒会に専念することにしたのです。また中学に入ってから私は毎日、日記を書いていました。日記を見せてコメントをもらっていた先生からは、「これは、わかなにとっていつか財産になるノートだよ」と言われ、その言葉の通りになりました。

このころの私は、ひたすら真面目《まじめ》を貫《つらぬ》いて、優等生で過ごしていました。「このレールに乗っていれば私の人生は間違いない」と自信に満ちあふれていました。そのいっぽうで、自分がなぜ生きているのか、という問いはずっと変わらずもちつづけていました。「このままでいいのか」という漠《ばく》然《ぜん》とした不安も、どこかで感じていたように思います。そんな中、私を支えたのは三浦綾子の『氷点』や池田晶子の『14歳からの哲学』といった本でした。

受験の時期になり、私はまわりの反対を押し切って、自分が行きたいと思った学校を受験することに決めました。

自分の学力では、合格できてもその高校内での成績が下のほうになるかもしれない、とも言われましたが、私は短大か看護学校に進学して養護教諭になりたいと思っていたので、高校は自分が行きたいところを選ぼうと思ったのです。

これは私の人生において、大きな決断でした。それまでは「親や先生がこう言ったから」「成績が」「順位が」という自分以外の誰かの言葉にしたがってばかりで、自分の気持ちはあとまわしにしてきた私にとって、親や先生の反対を押し切って受験する高校を決めたことは、大きなできごとだったのです。それも、倍率が三倍以上のI期選抜（当時の入試制度）で受験することを決めました。

緊張以上に受験を楽しむ気持ちが大きく、やることはすべてやった、という気持ちで小論文と面接に臨《のぞ》むことができました。結果は合格。二〇一一年の二月、私はほかの仲間たちよりも先に高校進学への切符を手にしたのです。

あのときのことは今でも忘れられません。

担任の先生に呼ばれ、個室で「合格です」と結果を伝えられて先生とふたりで手を取り合って喜んだこと。帰ってすぐに「受かったよ」とキッチンにいる母に伝えると、泣いて喜んでくれたこと。小学生の弟が訳がわからないながらも「お姉ちゃん受かったの？」と興奮していたこと。電話して仕事中の父に報告したときに「おめでとう！」と言われたこと……。すべてを覚えています。

自分が今までやってきたことはなにひとつ間違っていなかった、努力が報《むく》われた、その気持ちでいっぱいでした。

2　あの日　三月十一日から一時避難まで

卒業式の一日

私は福島県伊達《だて》市に住んでいました。家族は四人で、父は福島県から宮城県まで通って仕事をしていました。母は専業主婦。五つ年の離れた弟（震災当時十歳）がいます。

二〇一一年三月十一日の午前中、私は中学校の卒業式に参加しました。父はこの日のために、仕事を休んでくれました。

この日は朝からなぜか空が気になっていました。卒業式は晴れの日がいい、なんて思って。私たちは四十九回目の卒業式を迎える生徒で、一部の仲間うちでは「なんか縁起《えんぎ》わるいね」なんて話していました。

卒業式が終わり、友だちとさよならしてから、まだ写真を撮《と》り合ったりしているみんなの姿を遠くから見ていました。「行こうか」と親に促《うなが》されて駐車場に向かう私は、みんなに背を向けて歩き出しました。今思えば、私はあのときに目に見えない何かを感じていたのかもしれません。もう、これっきり会わなくなる友だちがいることも、これから何があるのかも、どこかでわかっていたのかもしれない。それくらい、何か言いようのない違和感を感じる卒業式を終えて帰宅しました。当時の日記をめくってみると、卒業式の十日前の三月一日に「このままでいいのか」と書き記していました。まるでこの先に「このままではよくない」と思うことが起きることがわかっていたかのように。

午後、自宅二階の私の自室で母と過ごしていたときに突然、私の携帯がけたたましく鳴り響《ひび》きました。おどろいて携帯を開き「緊急地震速報《きんきゅうじしんそくほう》?･」

と読み上げた瞬間《しゅんかん》にぐらっと激震《げきしん》がやってきました。とてつもないゆれが何分間もつづき、机の下に隠《かく》れていた私は「もうここで死ぬんだ」「この世の終わりだ」と感じながらゆれが早く終わりますように……！　とひたすら祈っていました。私はあのとき、音楽を聴きました。パイプオルガンとも違うけれども、そんなような……。もしかしたら、「地球の悲鳴《ひめい》」だったのかもしれません。

死ぬかと思うほどの恐怖を感じ、ゆれがようやくおさまり、外に出ると、まだ日が高いというのに空は暗く、カラスがたくさん飛んでいました。地《じ》響《ひび》きが鳴りつづけ、雷《かみなり》が鳴り、雪が降ってきました。三月に雪が降るというのは、私が住んでいた地域ではめずらしいことでした。とても寒くて、こわくて、ふるえていました。生きた心地がしない、というのはこのことでした。自分がこの日、卒業式というハレの舞台を終えたのに、その感動は恐怖によってぬりかえられてしまったようでした。

原発爆発のニュース

弟は小学校に行っていてまだ帰ってきていませんでした。その小学校は古い校舎で耐震工事がきちんとされておらず、震度《しんど》五以上の地震には耐《た》えられないだろうと言われていました。正直、「弟はもしかして……」という気持ちがよぎりました。私の家族も、近所の同じ小学校に子どもを通わせている人たちも同じ不安を抱えていたと思います。ゆれがおさまったころに、父や近所の人たちが子どもを小学校に迎えにいきました。しばらくすると、弟が迎えに行った父と一緒に帰ってきました。泣いて抱き合いました。「生きていてよかった」と心から思いました。

あとから弟が当時の話をしてくれました。「学校でね、ステンドグラスがあってね、それが割れてたくさん散らばったの」と。あとにも先にも彼が私に一度しか言わなかった地震《じしん》の経験談です。大人ですら死の恐怖を感じたできごとでしたが、十歳の子どもにとっては言葉にできないくらい、耐えがたい恐怖だっただろうと思います。

その日の夜は停電で、ストーブも動かなかったのでみんなで一階のリビングにあるこたつに足を入れて（電源は入っていません）過ごしました。余震《よしん》があるたびに跳《は》ね起きて、ふるえていました。

大きな津波の映像を見たのは翌十二日のことでした。友人の家の車のカーナビで、はじめて津波の映像を見ました。車が流され、真っ黒な波に沿岸の地域があっという間に呑《の》まれて引きずりこまれていきました。「大変なことになった」とそのとき被害の大きさに愕然《がくぜん》としたのでした。

我が家には手まわしラジオがあり、十一日の夜からそれを使いながら情報を得ていました。地震の翌日、東京電力福島第一原子力発電所で水素爆発が起こりました。ラジオで爆発のニュースを聞いて、真っ先に母が「このままだとチェルノブイリみたいになる」と言いました。私の脳内でチェルノブイリという言葉が「ちぇるのぶいり」とひらがなで表示されました。「ちぇるのぶいりって何？」と聞くと、母は「昔ソ連で大きな原発事故があってね。とても大変な被害が出て、健康被害で苦しんだ人もたくさんいたんだよ」と教えてくれました。私は当時、チェルノブイリ原発事故を知りませんでした。そして、福島県沿岸部に原発があるということも知りませんでした。そこで作られていた電気は東京（東京電力の管内）に送られていましたが、そのことすら知りませんでした。事故があってはじめて、私はそれらのことを知ったのです。

避難と負い目

十三日と十四日、私たち家族は水を取りに行きました。停電に加えて、断水していた家庭が多かったのです。原発事故があったことは知っていながらも、それでも大したことはない、と心のどこかで思っていたのかもしれません。今思えば、おそろしいことだと思います。近所のスーパーマーケットに給水車が来ていて水をもらいに行くと、中学校の友人と会いました。お互い言葉もろくにかわせずに、半泣き状態のまま抱き合ったのを覚えています。

原発の状態がよくならないことを察《さっ》して母が「今すぐに避難《ひなん》しなければ」と言い出しました。父はメディア、学者、政府の言葉を信じていたので、「大丈夫」の一点ばり。十五日、父が折れて、母の実家がある山形県に避難することになりました。母と私と弟を車で送ると、父は「仕事があるから」と福島県に帰っていきました。

三月十六日は、福島県の各高校で合格発表が行われる日でした。私は延期して、屋内《おくない》で行われるとばかり思っていました。しかし、例年通り屋外《おくがい》で合格発表を行った高校が多かったのです。体育館で合格者の張り出しなどを行った高校もあったようでしたが、発表を見に行った子たちの中には、そのあと屋外で時間を過ごした人もいたようでした。

私は推薦でひと足早く志望校に合格が決まっていました。そのため、この日に合格発表を見に行かなくともよかったのですが、やはり「自分の番号があるのを見たい」という気持ちがあり、この日を待ち遠しく思っていました。

しかし、私はこの日山形県に避難していて、合格発表に行けなかったのです。そして、この日、外に出た友人たちは何も知らずに高線量の中、合格発表を見に行き、被《ひ》ばくしたのです。私はのちに、このことを負《お》い目に感じるようになりました。自分は被ばくをまぬがれたのに、みんなは被ばくした。「私は逃げたんだ」と。

母の実家での母子避難《ぼしひなん》がはじまりました。メディアでは「安全派」と「危険派」が対立しながらも、基本的には枝野さん（当時の官房長官）の言う通り「ただちに影響はございません」という言葉が連呼《れんこ》されました。「ポポポポ〜ン」というACジャパンのコマーシャルが何度も流れていました。企業がコマーシャルを自粛《じしゅく》していてほかに採用できるものがなかったのでしょうが、緊急地震速報のあの音と、「ポポポポ〜ン」の明るい感じがする音楽は、私の中でトラウマ化しています。

正しいのは誰？

母の実家に避難して、次第に、母と祖母は喧嘩《けんか》をするようになりました。祖母はメディアと政府の言葉を信じていました。「もう帰りなさい」「○○さん（父）は福島にいるんでしょ!?」「あなたは心配しすぎなのよ」と母が責《せ》められていました。涙をぬぐっている母の姿を何度も見ました。私と弟は、それを見て見ぬふりしていました。母と祖母の間にはさまれて、何も言えませんでした。

テレビをながめ、「どっちが正しいんだ」「誰が正しいんだ」と子どもながらに思いつつ、「大人もただの人間なんだ。何が正しいか大人も判断できないんだ……」と気づいて、愕然《がくぜん》としました。

中学生までの私は、親や先生が言っていることは何一つ間違っていないと思って過ごしていました。大人がそう言ってるんだから正しいのだ、と。しかし、このとき、その考え方は間違っていたのかもしれない、と思わざるを得《え》ませんでした。それまで信じてきたものが、私の中でゆらぎはじめていました。

「あなたはどうしたいの」

四月に入ると私は高校入学、弟も進級のために学校の手つづきがあり、福島の伊達市にもどりました。

高線量の中、自宅に帰ることは正直、うれしいことではありませんでした。でも、このぎこちない母子避難の生活から離れて、高校にようやく通えると思うと少し気持ちが明るくなりました。

しかし、帰ってから毎日、家族が顔を合わせるたびに家族会議が行われるようになりました。「避難するか、このまま福島に残りつづけるか」。何回家族会議をしたか、もう覚えていません。そのくらいたくさん話し合いました。

両親が喧嘩になることもありました。この時期「原発離婚」という言葉が生まれましたが、わが家でも「原発離婚」するかしないか、まで話が発展しました。「あなたはどっちについて行くの」と母に言われました。「どっちって言われても……」と私は言葉を失いました。

とうとう最後の話し合いの日。今でも覚えています。ひと通り話をし終わった両親が押しだまり、私のほうを見て、母が「あなたはどうしたいの」と問いかけました。「……私はせっかく今の高校に合格したし行きたいよ。でも……高校三年間と私のこれからの人生を天秤《てんびん》にかけたらどちらが大切かは明白でしょ」と伝えました。ふたりは再び押しだまって、そのまま家族会議が終わりました。

大人もわからなかった

次の日から、引っ越しの準備がはじまりました。

私はのちに、この母の問いをどのように解釈《かいしゃく》したらよいのかで悩むようになりました。子どもの意見を尊重《そんちょう》したいと思って聞いてくれたのかもしれない、と思ういっぽうで、子どもに「命の選択」をさせてほしくなかったとも思いました。

極論《きょくろん》かもしれませんが、「あなたはどうしたいの？」という質問は私にとっては「あなたはこのままここにいて放射能の危険を感じながら過ごすの？　それとも安全なところに行くの？」という質問でもあり、「生きるの？　死ぬの？」と言われたようなものでした。だからこそ、私は「どちらが大切かは明白」という言葉を使って返答したのですが……。

私は両親が結局、自分たちだけでは答えを出せず、子どもに「生きる判断」をまかせたのではないかとも思いました。それは、のちに、母が私に「あなたは避難するとあのとき言った」という言葉で圧力をかけてくるようになったからです。

もし、私が避難しないとか、避難したくないとかあのときに言ったなら、避難しなかったのだろうか……。そんなことを、今でもふと考えることもあります。

福島を離れる少し前、父からメールが来ました。そこには、私が高校を転校しなければならなくなったこと、せっかく苦労して志望校に入ったのにこんなことになって悔《くや》しい、申し訳ない、と書いてありました。それから父は直接、私に深く頭を下げて、申し訳ない、と謝罪《しゃざい》したのです。私はこのときの父の姿を忘れません。なぜ父が謝《あやま》らなくてはならないんだと思うと同時に、父のいろんなプライド、娘や家族に対する思いが伝わってきて、苦しくなりました。

「あなたはどうしたいの」と私に聞いた母も、親戚《しんせき》からたくさん嫌《いや》みを言われて、それでも屈《くっ》せず、真っ先に避難という行動に移ってくれました。それは、子どもの健康と命を第一に考えた、母の愛だったとも思っています。

両親にはとても感謝しています。しかし、正解がわからない中、まわりからも非難《ひなん》されて追いこまれ、「子どもが言ったから」「政府が言ったから」

「学者が言ったから」と、結局自分の本音にふたをして誰かに責任を押しつけてしまった部分もあったようです。

3　不自然な日常　四月〜五月　避難するまで

教師たち

一時避難《ひなん》していた山形県から福島県にもどった一時期、高校へ電車通学をはじめておどろいたのは、福島駅前では当たり前のように人々が歩いていて、マスクをしていない人も多かったということです。約60キロ先の原発で大変なことが起こっているのにもかかわらず、「普通に」人が歩いている、その状況が私にはあまりにも「不自然に」思えたのです。

三人の先生との会話を紹介します。

まず、一人めのA先生（男性）は私の担任でした。私は入学式の時点で引っ越すことが家族会議で決まっていたので、山形県の高校への編入手つづきをしてもらうため、担任にすぐ相談する必要がありました。職員室に足を運んだ私はA先生に「家族で自主避難《じしゅひなん》することになったので、編入の手つづきをしていただきたいのですが」と伝えました。するとA先生はだまって一冊の本を取り出し、「これを読め。これには安全安心と書いてある」と言って私に手渡そうとしました。それは、いわゆる「安全神話」にもとづいて書かれた新書でした。私は「いりません」とその場でつき返して職員室をあとにしました。そのとき、ほかの先生の視線も感じていました。私は何もわるいことはしていないのに、自分が何かわるいことをしたかのような気持ちになりました。

二人めの先生は部活のB先生（男性）です。「自主避難することになりました」とB先生に伝えると、「行くな」と言われました。私が「どうしてですか」と聞くと、B先生は「おまえが行くと風評被害《ふうひょうひがい》が広まる」と言っ

2011年3～5月の経緯

3月11日	（午前中）	中学校の卒業式
	（14:46）	東日本大震災・地震（マグニチュード9.0）
3月12日	（15:36）	福島第一原子力発電所1号機爆発
3月14日	（11:01）	福島第一原子力発電所3号機爆発
3月15日	（6:14）	福島第一原子力発電所4号機爆発 山形県へ一時避難
3月16日		高校合格発表（一時避難中のため行けなかった）
4月初旬～中旬		福島県に戻り高校へ入学
5月初旬		山形県へ引っ越し、高校へ編入

たのです。私はその場で唖然《あぜん》としてしまい、何も言い返せませんでした。放射能被害というのは実害《じつがい》です。数マイクロシーベルトから十数マイクロシーベルトという線量の中で毎日生活するということは、本来はあってはならないことです。しかし、その現実に目をつぶる「風評被害」という言葉を使って、B先生は十五歳の私を責《せ》めたのです。

最後に紹介するのはC先生（女性）です。C先生が教壇に立ち、授業がはじまると思った矢先に、C先生は突然泣き出しました。教壇で先生が泣いているという状況に、まわりの生徒もおどろいて先生を見つめています。先生はポツリポツリと話しだしました。「三月十六日の日ね、合格発表だったでしょ。あの日、私、校長先生に、合格発表しないでください、って言いに行ったの。でもね、校長先生は『いや、やる』と言ったの。『どうしてですか』と聞いたら、『やらないと俺の首が飛ぶ』って言われたの……。あの日、みんなのことを被《ひ》ばくさせちゃった。ごめんね……」と言ってC先生は嗚咽《おえつ》しました。私たち生徒は、ただだまっているしかありませんでした。「なぜこんなことになったんだろう」と私はそのとき、先生を見つめ、うつむいて自分も涙が出てくるのをこらえていました。

マスクはだめ

のちに、福島県の高校教師をしていた方からうかがった話では、当時、教育委員会から各学校に通達が来ていました（文科省、つまり政府の人たちからの通達でした）。「放射能被害について不安をあおるようなことを言ってはならない。また、それに類するような言動は差《さ》し控《ひか》えるように」という旨《むね》の通達もあったそうです。

学校でマスクをしていれば「どうしてマスクをしているんだ」と先生から注意されました。私は当時花粉症だったので、「花粉症なので」と言って乗り切っていましたが、同級生たちも互いを観察しあい、「いやだ」「こわい」というようなことは口に出さないほうがいいのだろう、と「空気を読んで」生活していました。

二〇二〇年、新型コロナウイルスが流行してからはマスクをしていないと白い目で見られたり、マスクをしない人を非難《ひなん》したり、さらには暴行したりということまであって、福島での経験が重なりとても胸が痛《いた》みました。

こわい、つらい、苦しい、という思いを発することもゆるされず、その思いを少しでもやわらげるはずの「マスクをつける」という行為もとがめられ、子どもは不自由な生き方をしなければなりませんでした。「被害は大したことはない」「危険をあおるな」という、事実を隠《かく》す言葉や圧力によって、子どもの不安な気持ちにはすべて、ふたをさせられてしまったのです。

沈黙の裏で

こんなこともありました。当時、福島県では毎時3・8マイクロシーベルトの汚染があっても、そこから0・01でも下まわれば外で体育を行うように、という指導がありました。体育の時間の前に「今日は外でやるぞ」と言われると、みんな着替えて、玄関先に出てくるのですが、ポーチ（屋根のある場所）からなかなか外に行こうとしません。誰も「放射能がこわい」なんていうことは言いません。ただ、互いに何かを察《さっ》し合うかのように、いよいよ行かなくては、という時間になってはじめて「よし……行くか」と意を決したように外に出ていくのです。これをあなたは「普通のできごと」「しかたがないこと」だと思いますか？

もう一つ、私がもう間もなく転校するころにあったできごとも忘れられません。同じクラスの友人がまわりの目を気にしながら、私にこっそりと聞いてきました。「どうしてマスクしてるの？」私はドキッとしましたが、彼女もマスクをつけています。「……花粉症もあるんだけど、気にしてるんだよね。放射能。親もしろって言うから……」と私が答えると、彼女は一瞬安心したかのような表情でひと言、「私もなんだよね」と言いました。

私はおどろき、ようやく仲間を得《え》たような安心した気持ちになりながらもだまっていました。

彼女はそのあと、ポツリと言いました。「私たち子ども産めるのかね」と。私はこの瞬間、愕然《がくぜん》としました。私も感じていたのです。「私は結婚できるのか」「妊娠できるのか」「子どもは産めるのか」と。しかし、その不安を口に出したことはありませんでした。彼女の口からその言葉を聞いたとき、「どうしてこんなことになったんだ」と廊下で呆然《ぼうぜん》と立ち尽くしました。

多感な時期の子どもたちは、自分たちの意見も感情も、誰にも話すことさえできず、ただ沈黙《ちんもく》させられるという状況でした。私たちがこわいとか、いやだとか言えばまわりの大人を困らせてしまうだろうと「忖度《そんたく》」して、感情を押しこめて生活していました。そして、いつしか感情を閉ざすことになれていき、感覚が麻痺《まひ》していくようでした。もし、不安だとか、いやだとか、正直な気持ちを言っても親の仕事の都合や学校の決まりがあって大人を困らせるだけ。ましてや社会も、原発事故などなかったかのような「当たり前」の日々にもどっていくのであればなおさら、子どもたちは自分が和を乱す存在にならないようにと、「空気を読む」必要がありました。

口止め

五月の初旬、山形県へ引っ越す手はずが整いました。福島県での最後の登校日、クラスメイトに挨拶《あいさつ》をする前に、廊下で担任から「自主避難するって絶対に言うなよ」と口止めされました。もともと、私は親と相談の上、まわりのクラスメイトや昔からの友人たちにも、「避難する」とは言わないようにしようと決めていました。ただ、先生から口止めをされたことでよりいっそう、「自分が放射能の被害から逃げる」ことが、どれほど隠さなければならない問題かを再認識させられました。それ以来、自主避難するのは「わるいこと」「ほかの人には言えないようなこと」として、私の中で位置づけられました。私はクラスメイトに「親の仕事の都合で引っ越すことになった」と説明をして、山形県の高校に編入することになりました。

福島にはいろんな事情を抱《かか》えて避難したくてもできない人たちがたくさんいました。だからこそ、「自主避難する」ということは軽々《かるがる》とは言えませんでした。ましてや子どもは、親の判断でしか生きる場所を決めることはできません。それがわかっていても、私は自分が自主避難することに申し訳なさを感じていたのです。

「あなたが自主避難したことを負《お》い目に感じなくていい」、と言われたこともありましたが、十五歳の私にはその罪悪感《ざいあくかん》を払拭《ふっしょく》するすべがありませんでした。私は「避難区域に住んでいるわけではないのに、県外移住するなんて」「もっとつらい人がたくさんいる」「避難したくてもできない家族や、こわいから避難したいということを言えない子どもも親もたくさんいる」と思い、「自主避難する」とはとても言えませんでした。

私の住んでいた福島県伊達《だて》市は避難区域にならなかったところです。伊達市はニュースでよく取り上げられる、飯舘《いいたて》村の隣にある市です。飯舘と伊達の間には霊山《りょうぜん》、という山があります。その山は確かに放射能を少なからず遮《さえぎ》ってくれましたが、伊達の線量は私が避難した五月ごろには、三マイクロシーベルトから七マイクロシーベルト近くまでを行ったり来たりする状況でした。

「私だけ逃げた」

避難指示区域に住んでいた人、自主避難した人、残った人、現地でも避難先でもさまざまな軋轢《あつれき》が起こり、それがきっかけで大人子ども関係なくいじめが起こり、ニュースにもなりました。それは私自身が感じていたような、「もっとつらい人はいるんだぞ」「おまえは仕事もお金もあって、避難できてよかったよな」という妬《ねた》みや僻《ひが》み、恨《うら》みつらみを誰かにぶつけたいという思いから引き起こされました。

同じ土地に住んで原発事故の被害を受け、痛みを感じた者同士なのに、いがみ合い、憎《にく》しみ合っていました。その矛先《ほこさき》違いの傷つけ合いをみて、私はとても虚《むな》しく、悲しくなりました。

「私だけ逃げた」という罪悪感《ざいあくかん》は、山形県に移住して新しい生活がはじまったあとも消えることがありませんでした。「もし、お金があったら、私が政府の人間だったら、こんな安易《あんい》な方法で避難区域を決めないで、不安な人は全員避難させるようにするのに」「どうして、みんなを連れていけないんだろう」と子ども心に思うこともありました。自分が新しい土地でまた笑って生きていくなんて、残っている友だちに申し訳ないとすら思いました。「逃げてごめんなさい」「何もできなくてごめんなさい」とも思いました。でも私がわるいわけではないことも、わかっていました。

山形県に引っ越す日、伊達では桜が散って葉桜になっていました。家を出る最後の日、走る車の風に巻き上げられて、追いかけてくるように見える桜の花びらを車の後部座席からながめていました。見なれた町を通りすぎながら、「あぁ、もうもどってこないんだ」と思いました。放射能がこの地を汚していたとしても、美しく、豊《ゆた》かな土地が目の前に広がっていて、なんとも言えない気持ちになりました。

目に見えない恐怖と目の前の世界の美しさのちぐはぐ感が、原発事故のむごさをいっそう際立《きわだ》たせているように思いました。

コラム1

子どもたちに年間20ミリシーベルトの被ばくを許した文部科学省

わかなさんの通っていた高校が、3・8マイクロシーベルト／時を下回れば校庭で体育の授業をしていたのは、文部科学省が二〇一一年四月十九日、福島県教育委員会ほか宛《あ》てに、一本の通知を出したからでした（次ページ）。

原発事故が起きたのだから、年間20ミリシーベルトまでは被《ひ》ばくしてもしかたがない、というのが国際放射線防護《こくさいほうしゃせんぼうご》委員会（ＩＣＲＰ）の「緊急時被《きんきゅうじひ》ばく状況」（一般人も年間20〜100ミリシーベルト）の考え方です。しかし、この「緊急時被《きんきゅうじひ》ばく状況」は日本の法令にまだなっていません。

チェルノブイリ原発事故で広範《こうはん》な土地が放射能汚染されたベラルーシの法律では、一般人の被《ひ》ばく限度は年間1ミリシーベルトですが、これでは健康

「福島県内の学校の校舎・校庭等の利用判断における暫定的考え方について」

> また、児童生徒等の受ける線量を考慮する上で、16時間の屋内（木造）、8時間の屋外活動の生活パターンを想定すると、20mSv／年に到達する空間線量率は、屋外3.8μSv／時間、屋内（木造）1.52μSv／時間である。したがって、これを下回る学校では、児童生徒等が平常どおりの活動によって受ける線量が20mSv／年を超えることはないと考えられる。さらに、学校での生活は校舎・園舎内で過ごす割合が相当を占めるため、学校の校庭・園庭において3.8μSv／時間以上を示した場合においても、校舎・園舎内での活動を中心とする生活を確保することなどにより、児童生徒等の受ける線量が20mμSv／年を超えることはないと考えられる。

＊2011年4月19日付文部科学省通知から抜粋。全文は文科省ウェブサイトで見られる。

被害が出るので、政府は年間0・1ミリシーベルトをめざす、としています。また、ドイツでは放射線防護《ほうしゃせんぼうご》令《れい》という法令があり、一般人は年間0・3ミリシーベルトが限度です。

原発や大学、病院等で「放射線管理区域」（法令上は「管理区域」）に入る大人（そもそも一八歳未満は立ち入り禁止）は、年間最大50ミリシーベルト、五年間で

100ミリシーベルトが上限とされています。100ミリシーベルトを五年間で割ると、年平均20ミリシーベルト（100÷5＝20）。つまり、文部科学省は全国の子どもたちに、原発で働く大人（原発労働者）並みの被ばく線量限度を強制したのです。これは、今後、原発事故がどこで起きても、その地域の学校に適用されます。

福井県（大飯《おおい》原発、高浜原発）、佐賀県（玄海《げんかい》原発）、鹿児島県（川内《せんだい》原発）、愛媛県（伊方《いかた》原発）の原発が再稼働しています（二〇二一年二月現在。定期検査中含む）。福島の子どもたちに起きたことは、原発事故が起きれば、日本全国の子どもたちにも起きかねないことなのです。

（川根眞也）

コラム2

伊達市の子どもたち八千人にガラスバッジ

福島県伊達《だて》市は東京電力福島第一原発から直線距離で約64キロです。日本政府は原発から20キロ圏内にしか避難指示を出しませんでした。ところがアメリカ政府は二〇一一年三月十六日、原発からの放射能被《ひ》ばくを避《さ》けるため、少なくとも80キロ圏から避難するよう自国民に命じました。この米軍の基準では避難するべき地域にすっぽり入ってしまう伊達市は、二〇一一年七月から「子どもたちの被ばくを管理するため」(『東日本大震災・原発事故　伊達市3年の記録』伊達市、二〇一四年)、市内すべての小中学生と幼稚園児約八千人にガラスバッジ(個人外部被ばく積算線量計)を配りました(「福島民報」二〇一一年六月十日)。

本来、一般人は「放射線管理区域」（法令上は「管理区域」）には入ってはなりません。当然、子どもも「放射線管理区域」には入ってはなりません。

前のコラムに書いたように原発や大学、病院等で「放射線管理区域」に入る大人は年間最大50ミリシーベルト、五年間で100ミリシーベルトが上限とされ、これを超えるおそれがある場合は「放射線管理区域」へ入って仕事をすることをやめさせなければなりません。そのために、ガラスバッジをつけて管理することが法令で義務づけられています。

次ページの写真は二〇一一年九月〜十一月の三カ月間の、伊達市小学生一人のガラスバッジの測定結果です。左の列は「使用期間の実効線量」、真ん中の列は「四半期計の実効線量」、右の列は「年度計の実効線量（累計）」となっています。三カ月で0・4ミリシーベルトも被ばくしています。この小学生は同年八月一日から三十一日までの一カ月で0・1ミリシーベルト被ばくしていたので、八月〜十一月の四カ月で0・5ミリシーベルト（0.4＋0.1＝0.5）

被ばくしていたことになります（右の列に0・5とある）。つまり、年間の推計は1・5ミリシーベルトの被ばくです（0.5×3＝1.5、四カ月間の被ばく線量を三倍すると年間（十二カ月）の被ばく線量になります）。

日本の原発労働者の年間被ばく線量は年々低くなってきていて、原子力安全・保安院（当時）が「九〇年代以降平均線量は1ミリシーベルト／年付近で推移」としています（「我が国の原子力発電所における従事者の被ばく低減

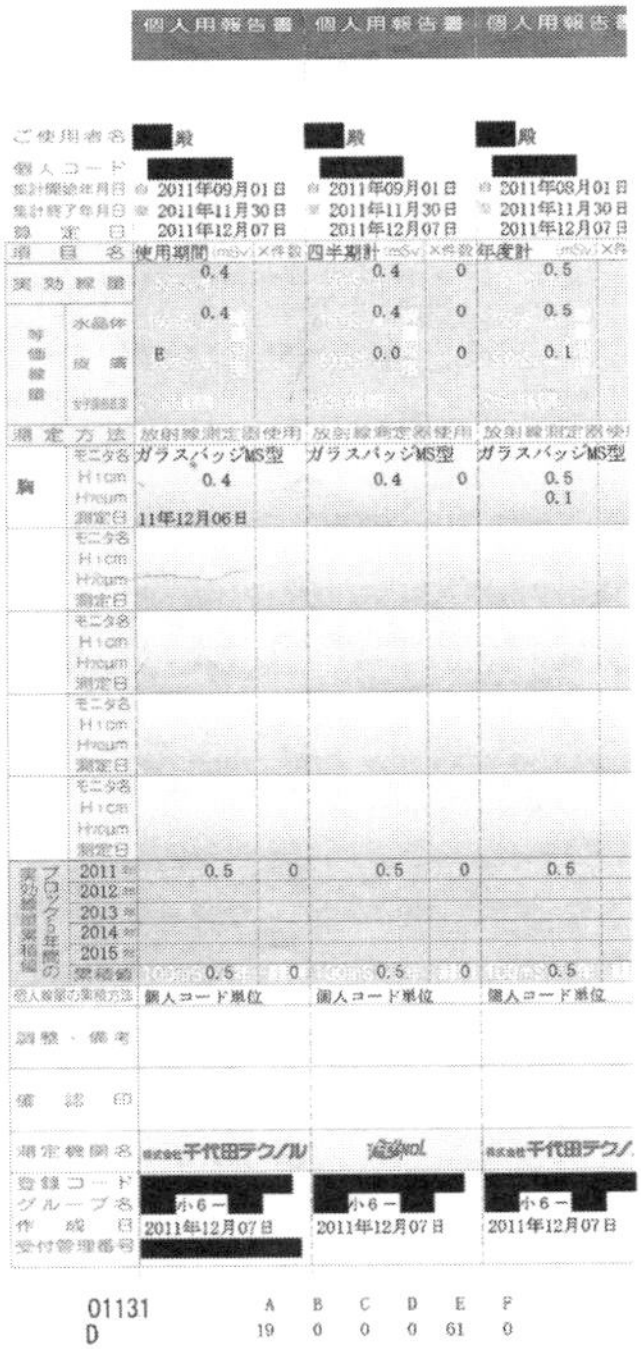

	個人用報告書		個人用報告書		個人用報告書	
ご使用者名	[redacted] 殿		[redacted] 殿		[redacted] 殿	
個人コード	[redacted]		[redacted]		[redacted]	
集計開始年月日	2011年09月01日		2011年09月01日		2011年08月01日	
集計終了年月日	2011年11月30日		2011年11月30日		2011年11月30日	
測定日	2011年12月07日		2011年12月07日		2011年12月07日	
項目名	使用期間 mSv	×件数	四半期計 mSv	×件数	年度計 mSv	×件
実効線量	0.4		0.4	0	0.5	
等価線量 水晶体	0.4		0.4	0	0.5	
等価線量 皮膚	E		0.0	0	0.1	
測定方法	放射線測定器使用		放射線測定器使用		放射線測定器使用	
胸 モニタ名	ガラスバッジMS型		ガラスバッジMS型		ガラスバッジMS型	
H1cm	0.4		0.4	0	0.5	
H70μm					0.1	
測定日	11年12月06日					
2011	0.5	0	0.5	0	0.5	
2012						
2013						
2014						
2015						
累積値	0.5	0	0.5	0	0.5	
個人線量の集積方法	個人コード単位		個人コード単位		個人コード単位	
調整・備考						
確認印						
測定機関名	株式会社千代田テクノル		[illegible]		株式会社千代田テクノ	
登録コード／グループ名	[redacted] 小6－[redacted]		[redacted] 小6－[redacted]		[redacted] 小6－[redacted]	
作成日	2011年12月07日		2011年12月07日		2011年12月07日	
受付管理番号	[redacted]					

01131
D

A	B	C	D	E	F
19	0	0	0	61	0

伊達市小学生のガラスバッジの
測定結果
（2011年9月1日～11月30日）

文部科学省によるセシウム134およびセシウム137の放射能汚染および被ばく線量(mSv)

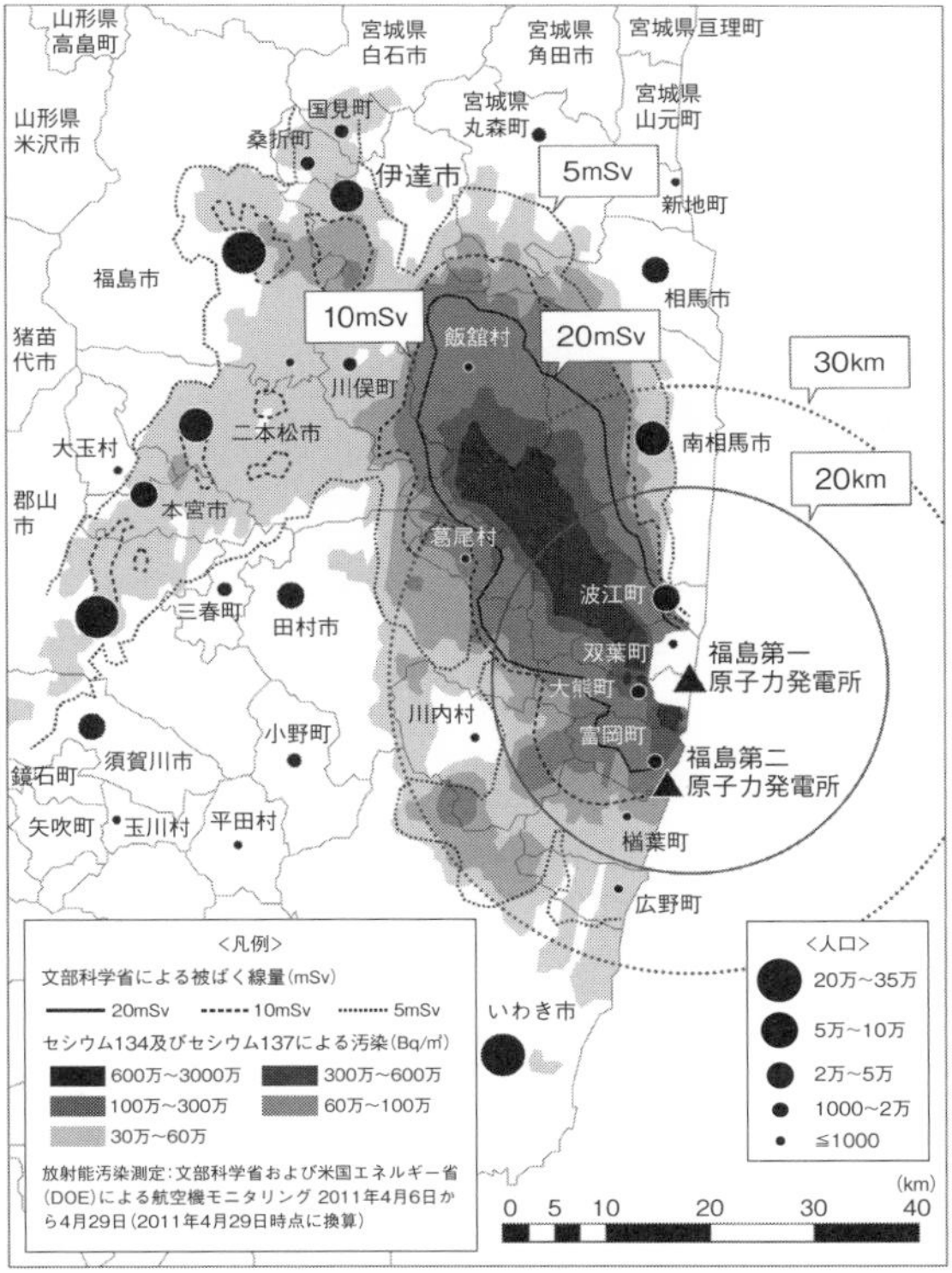

出典:Evaluation au 66eme jour des doses externes projetees pour les populations vivant dans la zone de retombee nord-ouest de l'accident nucleaire de Fukushima (IRSN, 2011年5月23日公表)の図8をもとに筆者作成。

について」原子力安全・保安院、二〇〇六年四月二十六日)。原発労働者でさえ、年間1ミリシーベルトしか被ばくしていないのに(年間1ミリシーベルトでも健康被害が出る可能性はありますが)、伊達市の子どもたちは年間1・5ミリシーベルトも被ばくしていたのです。

では、ガラスバッジをつけていなかった二〇一一年三月～五月、伊達市の子どもたちはどれくらい被ばくしていたのでしょうか。フランス放射線防護・原子力安全研究所(IRSN)によれば、伊達市や福島市の原発事故後、六十六日間の被ばく線量を年間に換算すると、10ミリシーベルトとしています(前ページ地図、10ミリシーベルトの点線で囲まれた部分)。つまり、伊達市の子どもたちは二〇一一年三月～五月の三カ月だけで2・5ミリシーベルトも被ばくした可能性があるのです(10÷4＝2.5、三カ月は一年の四分の一)。伊達市はガラスバッジを配るのではなく、すべての子どもと妊婦《にんぷ》を県外に避難させるべきでした。

(川根眞也)

4 「戦時中」 編入先の学校生活

原発事故は他人ごと

若い世代にはなんの罪《つみ》もないはずなのに、なぜ、私たちがここまで大人の顔色を見て、忖度《そんたく》して、生活しなければならなくなったのか……。はてしない量の「重荷《おもに》」を私たちの世代は背負《せお》わされて、これから生きていかねばならない、という絶望《ぜつぼう》感におそわれるようになったのは、山形の高校に編入して二カ月ほどたったころでした。

山形の高校では編入試験があり、試験に合格しなければ入学できないことが決まっていました。試験は五月でした。福島の高校では授業が他県より遅れており、習っていない内容が出題されてテストは壊滅的《かいめつてき》だったはずなのですが、なんとか合格し、編入できました。

しかし、受かった喜びなどはなく、「もう二度と友だちなんて作らない」と思っていました。「また何かがあったら離れなければならないのではないか」という不安感と、人間不信が相まった気持ちでした。中学生のときは人とかかわることは苦ではないタイプだったのに、それがとてつもなく苦痛に感じられました。

山形の高校では、制服をはじめ、教科書など多くを支援いただいたのも事実です。しかし、学校生活では「福島での原発事故」や「震災」というものは他人ごとで、「あーそんなことあったね」というレベルの話になっていました。その温度差は、予想をはるかに超えるものでした。同じ東北なのに、まるで海外でのできごとのように、みんなが普通に生活し、普通に日々笑って過ごしているのです。私は笑うことができませんでした。おもしろく思えることなど、何もありませんでした。

山形の高校でも残念ながら「他人ごとの発言」をありとあらゆるところで耳にしました。「早く学校生活に慣《な》れて」「そんなこと（原発や社会のこと）より勉強に集中しましょう」にはじまり、「いつ帰るの？」「もう大丈夫なんでしょ？」という安易《あんい》な言葉。悪気《わるぎ》のない純粋《じゅんすい》な疑問として投げかけられる「放射能はうつるの？」という言葉。猛暑《もうしょ》の中で「メルトダウンしそうだね」と生徒の笑いをとる先生。ときどきやってくる余震《よしん》におびえる私への遠巻きの冷《ひ》やかし……。私は、「彼らは当事者ではない」という現実を突きつけられたような気分でした。

授業中にも涙

山形駅前では「がんばろう東北」というのぼりがはためいていました。

私には「何ががんばろうだ」「これ以上何をがんばればいい」と冷めた目で見ていました。福島駅前にも「がんばろう福島」「がんばろう東北」ののぼりが立っていましたが、高線量の中、そこをマスクもせず、人が普通に歩いている状況でした。私はそれをおそろしいと感じていました。こんなの当たり前じゃないのに、これが日常になりつつあることの不安感、恐怖感。なのに「放射能」「原発はいらない」という言葉が言えない日々。

のちに私はこの様子を「戦時中《せんじちゅう》」と表現するようになりました。戦時中、もちろん私は生きていませんが、「戦争反対」と言えなかったあのときと同じ状況なのではないかと思ったのです。二〇一一年三月以降は福島でも放射能や原発への不安を口にしたり、県外に避難したりすれば「非県民」とも言われたのです。

転校してきて二カ月がたったころ、私は自分が避難してきたということに現実感を覚えるようになり、授業中にポロッと涙が出てくることが増えました。悲しい、虚《むな》しい、悔《くや》しい、つらい……。3・11から泣いたり怒ったりすることすら、まともにしてこなかったのだと、そのときはじめて気づきました。私の中で何かが崩《くず》れていくのを感じました。「もうあのころにはもどれない」……その現実が私にのしかかっていました。

閉ざされる対話

山形県に移住してから私と家族との間には軋轢《あつれき》が生まれ、関係性がわるくなりました。それは主《おも》に、放射能に対する認識《にんしき》のずれと、避難を選んだことについて、お互いの気持ちの共有がうまくできていなかったことが原因でした。

両親は、避難すれば福島にいるよりは大丈夫、という考えのもとに、生活をするようになりました。そのため茨城県産のレタス、千葉県産のニンジン、群馬県産のナスというように当時はまだまだ放射能の汚染があった地域の食品や、汚染水が流れた海を回遊しているであろう魚介類も食卓にあげました。私はもっと気をつけてほしい、ここまで避難してきたのだから食べるものも徹底《てってい》して選んでほしい、と思いました。しかし、親からは、「文句があるなら食べなくていい」と叱責《しっせき》され、高校生の私はひとり暮らしをすることもできませんから、だまって出されたものを食べるよりほかありませんでした。

原発事故は収束《しゅうそく》していないのにもかかわらず、あたかも収束したかのような政府の発表について家族団らんの時間に私が何かつぶやけば、「まだ社会に出たことはないくせに」「子どものくせに」「おまえはだまってろ」と言われて会話がさえぎられます。弟はそんな私を見ていますから、親側につくのは当然の流れだったと思います。両親の真似《まね》をしてなのか「姉ちゃんは気にしすぎなんだ」「いいからだまってろ」と、私を罵倒《ばとう》するようになりました。

私はただただ、不安な気持ちや、やり場のない怒りを家族と共有したかったのです。同意するかどうかは別にして、「そうだね」「そうだよね」「そういう考え方もあるよね」というふうに、理解しよう、受け入れようとする姿勢《しせい》で対話してほしかっただけでした。

両親は「避難できない人もいる中、私たちは避難できたんだから感謝しなさい」とたびたび言っていました（その言葉は私には、「文句を言うな」という意味に聞こえました）。しかし、私はそんなふうにわりきることはできず、自分だけが避難して、友人は今も現地で暮らしていることへの罪《ざい》悪感《あくかん》を引きずって、毎日気持ちが沈んでいました。

命が天秤にかけられるとき

私からすれば、避難をするかしないかということは「生きるか死ぬか」の選択であり、「生きるか死ぬかを選択させられること自体がおかしい」と思っていました。仕事やお金の都合《つごう》で逃げられないということが「被《ひ》ばくの危険にさらされた命」と同じ土俵《どひょう》で語られ、天秤《てんびん》にかけられること自体が、本来は間違ったことなのです。仕事やお金なんて政府が補償《ほしょう》するから、いいから今すぐ命を守るために逃げてくれ！　とあのとき本当は、政府が言わなければならなかった。あるいは、仕事やお金はあとからどうにでもできるから命を優先にしよう、と多くの人たちが言えればよかった。でも、その命を優先にして考えるという「当たり前」の判断ができなかったのです。それはどうしてなのでしょう。

あるとき、私が自室で泣いているときに親が突然部屋に入ってきて「まだ泣いてるの！ いい加減にしなさい！ 避難するってあなたのとき言ったじゃない！」と叱責《しっせき》しました。「避難できたんだから」という親の言葉には、「子どものためを思って」避難させてあげた、選ばせてあげた、というメッセージが含《ふく》まれているのではないかと私は思うようになりました。そして、両親とは根本的な部分で価値観《かちかん》の違いがあることを知りました。それは命に対する価値観の違いでした。もちろん避難したことには心から感謝していますし、それが並大抵《なみたいてい》の決断ではなかったこともわかっています。しかし、私が両親から受け取ったメッセージは「命を選べたことは幸せなことで、こんなに愛してやっている。どうしてわからないのか」というもので、それはわかりやすく言えばゆがんだ「愛」でした。思えば原発事故以前から、「あなたのことを思って」「こんなにしてあげたのに」というメッセージを両親から受け取ることは、少なくありませんでした。

私の存在意義は

こうしたことから私は「家族」をはじめとする小さな社会や「日本」という大きな社会のあり方も、ゆがんでいるのではないかと思うようになりました。たとえば、「俺《おれ》が稼《かせ》いでやっているんだから」「親とはこうあるべき」「子どもとはこうあるべき」「よい母にならなければ」「父親は大黒柱だから」という日本の家族にありがちな「当たり前の常識」が、私の中ですべて「当たり前」ではなくなりました。

仕事やお金を最優先することを「生きていく上で当たり前」と言い、命の危険があっても「普通に」会社に行き、貯金の残高を確認し、備蓄品《びちくひん》を買いに行列に並ぶ。命をあと回しにしている人たちがたくさんいることを知りました。この国の大人の大多数がそれを「当たり前」「常識」と考えていたり、「そういう国だからしかたない」とあきらめているのだと知ったとき、とても冷たいなと思いました。「愛」がないとも思いました。そして命を優先しない、できないような社会システムのあり方に、私は疑問を抱《いだ》くようになりました。

自分は親から、私の「命」ではない、別の価値基準《かちきじゅん》で「評価」されているのでは、と思うようになってから、私の精神状況はより不安定になっていきました。「勉強ができる」「ピアノが上手に弾《ひ》ける」「親の言うことを聞ける」とか、そんなことが親にとってはとても大切なことだったようですが、あのときの私には、それらは些末《さまつ》なことでした。私は、未来と周囲への失望感で押しつぶされて、生きる希望を見失っていました。でもこのとき、「愛」とはなんだろうか、という模索《もさく》が私の中ではじまったのでした。

高校二年生になるころ、家庭という場所は私にとって「命の危険を感じる場所」になっていました。ただ、ここで勘違《かんちが》いしてほしくないのは、「親がわるい」とか「私がわるい」とか、そういう犯人探しをしたいわけではないということです。私がもっともここで伝えたいのは、「家族のあり方」や「愛」について、あまりに無関心な人が多いのではないかということです。

私の親がひどいかひどくないか、ということではなく、なぜこういったことが起こったのか、という背景に目を向けてほしいのです。その背景が明らかになった一つのきっかけが「原発事故」だったと私は思っています。

コラム3

日本の食品の基準値100ベクレル／kgは低レベル放射性廃棄物の基準

二〇一一年三月の原発事故以降、厚生労働省は同年三月十七日に暫定規制値を決めました。

二〇一二年四月一日から新基準値に改められましたが、放射性セシウム100ベクレル／kgのものを、どの世代の人が食べても年間1ミリシーベルトに届かない、と厚生労働省は説明しています。

ここに二つの問題があります。諸外国では原発事故が起きた際に食品の汚染を知るため、放射性セシウムと同時に、放射性ストロンチウムも測ります。福島の原発事故で海に大量の放射性ストロンチウムが流れ出ているのに、日

東京電力福島第一原発事故後の日本の基準（一般食品）

単位：Bq/kg	放射性ヨウ素	放射性セシウム	ウラン	プルトニウム等	放射性ストロンチウム
暫定規制値（2011年3月17日～）	2000（野菜類〔根菜、芋類を除く〕）	500（野菜類など）	100（野菜類など）	10（野菜類など）	設定せず *1
新基準値（2012年4月1日～）	設定せず *2	100（一般食品）	設定せず *3	設定せず *4	

出典：厚生労働省医薬食品局食品安全部「放射能汚染された食品の取り扱いについて」（2011年3月17日）、同「食品中の放射性物質の新基準値及び検査について」

＊1　放射性セシウムに含めて規制値を設定。
＊2　「半減期が短く、既に検出が認められない」とする。
＊3　「原発敷地内においても天然の存在レベルと変化がない」とする。
＊4　「放射性セシウム以外の核種は測定に時間がかかるため、個別の基準値を設けず、放射性セシウムの基準値が守られれば、上記の核種からの線量の合計が1mSvを超えないよう計算」と説明されている。

本政府は食品中の放射性ストロンチウムについては基準を設けなかったので、流通する食品についても測っていません。

チェルノブイリ原発事故を引き起こしたウクライナ、ベラルーシ、ロシアの国々では、きちんとストロンチウム90の基準があり、定期的に食品のストロンチウム90の濃度を測っています。

ストロンチウム90は白血病

を引き起こす放射能で、セシウム137の三百倍は危険だ、と言われます。

もう一つは、この100ベクレル／kgという基準は原発事故前、「低レベル放射性廃棄物」を管理する基準値だったことです。『『100ベクレル以下』でも厳重管理」と題した二〇一二年四月二十日の朝日新聞（新潟版）にはこうあります。「東京電力は十九日、柏崎刈羽原発内で出た低レベル放射性廃棄物の管理方法を公開した。同原発では再利用が認められている1キロあたりの放射性セシウムが100ベクレル以下のゴミもドラム缶に入れて厳重に管理し、搬出後もコンクリートや土で外に漏れ出さないようにしている」。つまり、二〇一二年四月一日からは「低レベル放射性廃棄物」を管理する基準が、食品の基準になったのです。

NPO法人「食品と暮らしの安全基金」は二〇一二年以降、チェルノブイリ原発事故で汚染されたウクライナの各都市の住民の健康状態を調べていますが、セシウム137で1・1ベクレル／kg汚染された食品を食べる地域で、手や足、腰が痛い、風邪をひきやすい、頭痛がする、鼻血が出る、風邪で学校を休むという症状を見つけています（「チェルノブイリ原発事故後二十七年のウクライナから　放射能被害の新事実」〔二〇一三年十二月二十日開催〕より）。

福島第一原発事故の前に、チェルノブイリ原発事故が起きているのですから、放射性セシウム1ベクレル／kgを食べている住民の健康状態を調べて、日本の原発事故後の健康管理のあり方を考えるべきです。理論ではなく、被害者の実態に学ぶべきです。

（川根眞也）

5　トンネルと光

あざと悪夢

避難《ひなん》後から私は、心身の不調を感じるようになりました。

体の不調に関しては、それまで感じたことがないような関節《かんせつ》や心臓《しんぞう》の痛み、だるさ、眠気などを感じるようになりました。授業中に空咳《からせき》が止まらなくなり、吐き気《はけ》におそわれることもありました。また、すぐに息切れするようにもなり、体育の時間が苦痛でした。また、ほかにもちょっとぶつけたり転んだりしただけで、今まで経験したことのないような大きさのあざができたり、ぶつけたところが緑や紫《むらさき》、赤、黄色などのような、何とも言えない異常な色になったりすることがありました。こうした体調不良は二〇一一年から五年間ほどつづきました。

精神的な不調に関しては、悪夢《あくむ》をよく見るようになりました。夢の中で緊急地震速報《きんきゅうじしんそくほう》が鳴ってはっと目がさめて、はげしい動悸《どうき》と呼吸困難《こきゅうこんなん》、過《か》呼吸症状《こきゅうしょうじょう》に陥《おちい》り、あぁ、もう死のう、と思うことが増えました。

福島で仲間と一緒に過ごしている夢を見て、目ざめてから自分が山形にいることをゆっくりと思い出します。自分が避難してきた現実を思い出して、涙があふれます。「夢だったのか」「あー帰りたい」「原発のくそが」「なんでこんなことになったんだ」と何度も寝起きに思いました。寝てもさめても福島のことばかり考えていました。そして、自分が逃げてきたことの罪悪感《ざいあくかん》と、やり場のない怒りや虚《むな》しさを感じていました。

一日に何度もいろんな感情が行ったり来たりしました。がんばらなければ、という気持ちが出てきたかと思うと、もう何もかも、ここで終わらせてしまいたいような衝動《しょうどう》にかられました。場所を問わず突然大きな声で叫びたくなったり、泣きたくなったり、ものを投げつけたくなったりすることが増えました。

地震酔《じしんよ》いもつづいていて、いつもゆれているような感覚でした。学校なんか行きたくない、なくなっちまえ、私の気持ちも知らないくせに、私がここで生活しているうちに地元の友だちは被《ひ》ばくしていく、私は避難できたからまし、でも私だってつらい……。そんな気持ちがあふれ出て、おさえきれませんでした。それまでの大切な時間、当たり前だったはずの時間はもう二度と帰ってこない、と思うとつらくてしかたがありませんでした。当時のことを思い出したくなくても突然とても鮮明《せんめい》に思い出すことがあり、呼吸が苦しくなることもありました。がんばろう、と思ってもがんばれませんでした。

ずっとそれまで誰かのために、とか、将来のために、とか思って生きていたのに、前に進めと言われても「前」がどこなのかすらも、わからなくなっていました。自分や誰かのために何かをがんばろう、なんて思えませんでした。

心身の不調は学校生活に影響《えいきょう》を与えました。もの覚えがわるくなり、言葉を話すことが難しくなり、読み書きに困難《こんなん》を覚えるようになりました。それまでは、勉強も苦ではなく、進学校で夢に向かってがんばろうと思っていた私です。しかし、ノートを開いても文字が書けないのです。右手にもったペンがふるえて、左手で押さえて書こうとします。しかし、うまくいきません。自宅ではそんな自分にいや気がさして「どうしてこんなことになったんだ！！！」と叫び、ペンを壊《こわ》したり、ときには手足に刺《さ》して、泣きました。何も手につかなくなったのです。頭ではやらなければとわかっている、切り替えなければとも思っているのに……。でも、どうしてもできませんでした。

避難を境《さかい》にして、学校の勉強や将来の夢というものは、私の中で些末《さまつ》な問題に置き換わってしまったのです。何よりも心身の調子がわるく、朝起きるのもつらく、夜は眠れないという毎日でした。とにかく、がんばる気力がなく、ただその日を生きることで精一杯でした。

甲状腺のこと

私は現在も、福島県による県民健康調査と、個人的にも甲状腺《こうじょうせん》検査を受けています。のう胞《ほう》と結節《けっせつ》が見つかっていますが、二〇二〇年現在、それらは小さくなっています。

山形県に避難してから、はじめて県民健康調査を受けたときに、病院の先生にこう言われました。検査結果は「上からの指示」でここでは言えない、データは見せられない、と。検査後にのう胞が何個も見つかったとき、「のう胞は女の子には多いですから」とも言われました。これもまた、私が大人に対して愕然《がくぜん》とするできごとだったのは、言うまでもありません。

また高校生のときに心臓の検査もしましたが、異常はありませんでした。心療内科医や外科医からは、心臓の痛みをふくめさまざまな体調不良に関しては「思春期の子どもたちにはよくあること」「ストレスでしょう」などと言われました。

私は今は北海道に移住していますが、もう心臓の痛みも、体調不良も感じることはほとんどなくなりました。のちにこの体調不良は「原爆《げんばく》ぶらぶら病」にたいへん酷似《こくじ》していることや、チェルノブイリ原発事故のあともウクライナやベラルーシで同じような症状の子どもたちがたくさん出ていたことを知り、私もそうなのではないかと思いました。真相は今でもわかりませんし、これからも明らかになることはないと思います。

カウンセリング

養護教諭《ようごきょうゆ》やスクールカウンセラーが話を聞いてくれることもありました。はじめのころは、自分が思っている以上に自分の感情や考えていることを話すことができずにいました。そういうときは、カウンセラーと手紙で意思疎通《いしそつう》することにしました。

初回か二回目のカウンセリング時間に「先生たちから、早く学校に慣れてくださいねとか、山形の生活に慣れてねとか言われるけれども、私は山形に慣れたくない」と言ったことがありました。そのときは「そうなんだね」と話を聞いてくれましたが、次のカウンセリング時間に、「わかなさんから『山形に慣れたくない』って言われたときに正直『そうか、そういう考え方もあるのか』って思ったんだよね。よく考えてみればそうだよね」と言われました。よくよく話を聞いてみると、ほかの避難してきた人たちからは「早く慣れたい」という声がほとんどで、「慣れたくない」と意思表《いしひょう》示《じ》をしたのは、私がはじめてだったようです。

私は、それまでの自分と百八十度、性格も勉強に対する意欲《いよく》も姿勢《しせい》も変わってしまったことを打ち明けました。私は当時、それが何よりも悔《くや》しくてしかたがありませんでした。

カウンセラーに「もとの自分にもどりたい」と涙ながらに言いました。親をがっかりさせて、先生からは冷《ひ》ややかな目で見られることも多く、新しい人間関係を築《きず》く気持ちすらなく、そんな自分にほとほとうんざりしていた私は、とにかく「もとの自分にもどる」方法を探していました。

しばらくだまっていたカウンセラーは私のほうを見て、「そうだよね……。でも、もとのあなたにはもうもどれない」とはっきり言いました。

このとき、私はショックを受けたというよりも、「ああやっぱりそうなんだ」

という虚《むな》しさを強く感じました。カウンセラーはつづけて「でも、いつか必ず、新しい自分になって前に進んでいるよ」とも言いました。そのときには正直、先のことなんて考えることもできなかったし、新しい自分になるなんていやだという気持ちすらありました。しかし、あとから考えてみれば、あのときのカウンセラーの言葉は正しく、私は今新しい自分になって、自分の足で歩けるようになっています。

カウンセラーはたびたび「あせらなくて大丈夫」と言っていました。当時私はあせっているつもりはなく、ただ生きることに精一杯《せいいっぱい》でした。のちに長年私を見てきた別のカウンセラーからも「よくここまで来たよな」「あのときと全然違うよ」「早すぎなぐらいだ」という言葉をもらって、ようやく「私はどうやらここまで相当《そうとう》がんばってきたらしい」と自覚《じかく》できるようになったのでした。

両親の反対もありましたが（子どもが精神科に行くことに抵抗《ていこう》を感じて

いました）、高校二年生のころ心療内科に通うようになり、ＰＴＳＤ（心《しん》的外傷後《てきがいしょうご》ストレス障《しょう》がい）とパニック障《しょう》がいではないか、と言われました。

涙も出なくなって

残念ながら両親は私の状況を深いところまで理解できず、「なまけている」「だらしない」「甘えている」と私を責《せ》めるようになりました。叱責《しっせき》はエスカレートしていき、「いやなら家から出ていきなさい」「あなた避難するってあのとき（最後の家族会議の日のことです）に言ったじゃない」と言われるようにもなりました。

家にいるときは部屋で泣いてばかりいた私はある日、「いつまでも泣くな」とどなられ、いつからか涙も出なくなりました。泣けなくなったのです。

親も、つらかったのだろうと思います。子どもの前で見せまいとしていたさまざまな思いや苦労があったはずです。しかし、私もつらかったのです。大人ですら正解がわからないできごとが起こっているのに、子どもがストレスを感じないということがあるでしょうか。

3・11からの悲しみ、怒り、虚《むな》しさ、切なさ、妬《ねた》み、僻《ひが》みといったようなさまざまな負《ふ》の感情は私の中で行き場を失い、はじめこそ「大人たち」に向いていきました。二転三転する政府、ニコニコ笑っている人には放射線の影響はないなどと、根拠もないフワフワした言葉を不安な気持ちでいる人たちに発した学者たち、目の前の子どもたちより自分たちの立場を優先した学校の教師たち、命の選択と決断をできずに子どもの不安を見て見ぬふりして沈黙《ちんもく》した多くの親たち……。「大人の言うことは正しい」と思って生活していた十五歳の私は、あの日を境《さかい》に「大人もただの人間だ」という現実を突然目《ま》のあたりにしたのです。

私は何を信じていいかわからなくなりました。親も、先生も本来ならば子どもを守るはずで、それが当然、大人たちの責任だと思ってきました。しかし、現実は違いました。

確かに、子どもを守る判断をした大人もいたでしょう。でも、私が見てきた大人の多くは、子どもよりも自分の社会的な地位や金銭的な問題を「最優先事項」として行動しました。彼らにとっては、それが「子どもを守るために必要なこと」だったのでしょう。

私は当時、親に対して「ほかの子はどうして逃げられないの。なんで。どうして何もできないの。いいの？　ほかの子たちのことはどうでもいいの？」と問いつめたことがありました。今思うと、なんて酷《こく》な質問なんだろうと思います。そのとき、親は苦しそうに、「ほかの子どもが大切じゃないわけじゃないけれども、うちはうちなんだ」と言いました。

矛先が自分に

こんな「命を守れない社会」にしたのは誰なんだ、誰がわるいんだ、と私は高校時代、ずっと考えつづけました。

親がわるいのか、逃げない人たちがわるいのか、いや違う……でも、あの人たちは命よりも仕事やお金を優先したんだ、でも、どうして？　生きるために必要だったから？　生きるために必要なのは命じゃないの？　健康じゃないの？　……私の中でそうした問いが、堂々めぐりしていました。

命が優先だと主張する私に「それは子どもの考え方。大人になればわかる」と言う人もいました。私は悔《くや》しくてたまりませんでした。誰がわるいんだ、誰がこんな国にしたんだ。どうしてしかたないなんて言って、子どもの声に耳をふさいで、だまらせて、被《ひ》ばくさせるんだ！！！　私の友だちはどうなるんだ！！！

大人たちに向いていった負《ふ》の感情は、私の中で大きくふくらんでいきました。頭の中で東電の社員、国の役人までをひざまずかせて、彼らを切り裂《さ》き、殺しました。

私はばらばらになった死体を前にして泣いていました。こんなことがしたいわけじゃない、この人たちも、こうせざるを得なかった背景があるはずなのに……。きっと、誰がわるいわけじゃない……、それを言っても何も変わらない……、一体どうしてこんなことになったんだ……と私は答えを探しつづけました。

原発なんてなくなれ、誰も私の気持ちをわかっちゃくれない、そんな思いを私は日記にぶつけていました。この苦しさは誰が受け止めてくれるんだろう、この虚《むな》しさを誰かにわかってほしい、そうした叫びが私の中にあふれていきました。

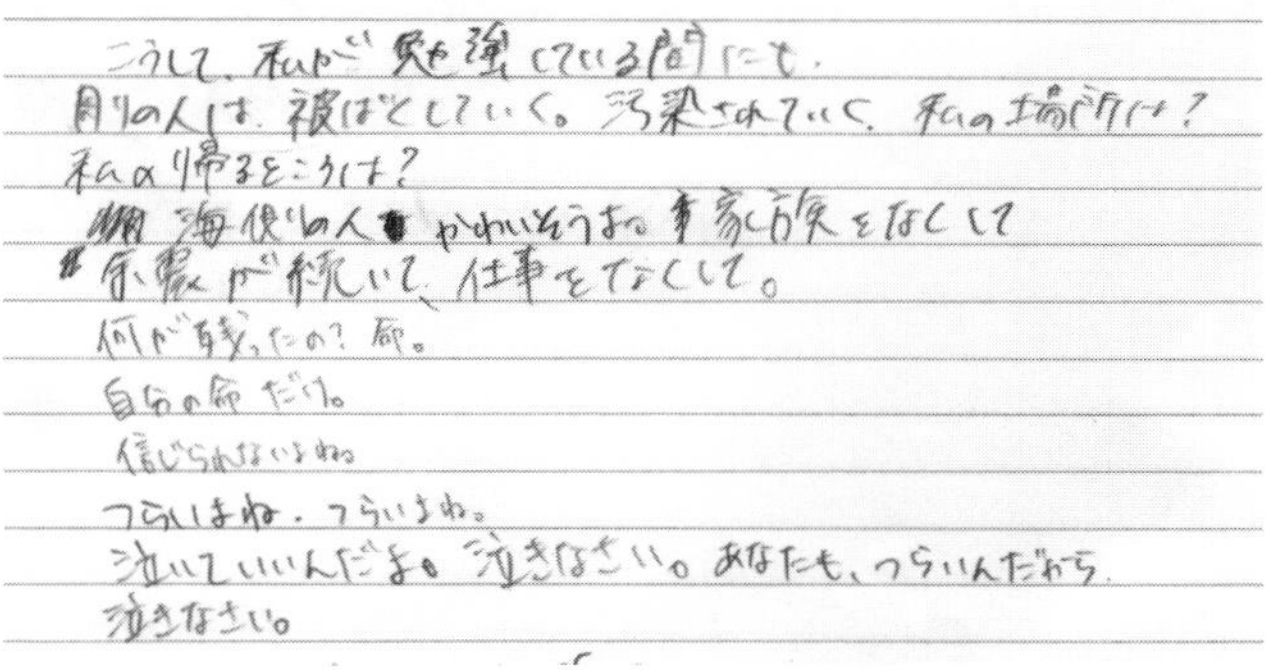
こうして、私が勉強している間にも、
周りの人は、被ばくしていく。汚染されていく。私の場所は？
私の帰るところは？
海側の人 かわいそうよ。家族をなくして
余震が続いて、仕事をなくして。
何が残ったの？ 命。
自分の命だけ。
信じられないよね
つらいよね。つらいよね。
泣いていいんだよ。泣きなさい。あなたも、つらいんだから。
泣きなさい。

当時の日記より。揺れ動く気持ちをぶつける。

私の負《ふ》の感情はますます大きくなり、その矛先《ほこさき》は想像の世界から、現実世界の自分自身に向くようになりました。高校二年生のときには自傷がひどくなり、自殺しようと考えました。雪が積もって、寒い日でした。どこか外で静かに死のうと思っていた私は、フラフラとあちこちを歩き回りました。橋の上、裏山のほう……。

しかし、私は自殺できませんでした。死にたい、と心の底から思っていた、はず、でした。死の淵《ふち》に立って死ねなかったあのとき、私は「本当は生きたいのか……？」と思ったのです。死ねないのなら、生きる方法を探そう、それが私の答えでした。高校二年生の冬が終わるころでした。

ツイッターをはじめた高校二年生

自殺願望がピークに達していたころ、私は登校しても保健室に行くことが多く、保健室のベッドでつかの間の仮眠をとりながら（夜も眠れない日がつづいていました）、出席できる教科だけ授業に出ていました。

そんな中、「友だちなんて作らない」と思っていた私を気にかけてくれる友人にめぐり会いました。その友人は私に「ツイッターでもやったら？」と言いました。何を書いたらいいかもわからないながら、福島での経験や、今の体調についてなんとなく書きこみました。すると、あっという間にフォロワーが増え、メンションが送られてくるようになりました。「そんなことが福島であったなんて」「体調は大丈夫？」「そんな話はじめて聞いた」「つらい経験だっただろうに」というような、おどろきのコメントや心身の調子を気遣《きづか》うメッセージなどが数多く届きました。中には心ないコメントもありましたが、そんなことは当時の私にとって些末《さまつ》なことで、心の支えがようやく見つかり、どこか安心できるようになったことのほうが、私には大きな転機《てんき》でした。

そのメッセージの送り主をみてみると、北海道在住の方が多く、「なぜ北海道の人たちが？」と思いながらも「北海道なら私の生きていく場所があるかもしれない」と思いました。ちょうど自殺に失敗した高校二年生の終わりごろ、「私は家を出て北海道で暮らすんだ」と決意したのです。

高校三年生になり、少しずつ「生きたい」と思えるようになってきていました。ただ、しんどいという気持ちは変わらずでした。あのころの私は誰かに助けてもらいたい、という気持ちでいっぱいでした。当時私の頭を占《し》めていたことと言えば「愛」とは何か、「生きる」とは何か、ということでした。

親には自分の気持ちが届かず、親からのメッセージは私のほしかった愛情からは、ほど遠いものでした。その現実は私を確かにがっかりさせましたが、今思い返すと、「愛」や「生きる」ということをゼロから考える上で、とても大切なプロセスだったとも思えます。原発事故は私にとって自分の人生を変える「一つのきっかけ」だったのであって、根本的問題はもっと別なところにあったということにも、気づきました。

社会の嘘を受け入れる?

原発事故のあとの高校三年間で私は、社会のあらゆる場面で自分がいかに無力《むりょく》かということを痛感《つうかん》しました。まわりの大人たちからは「子どもなんだから」「社会のこともろくに知らないくせに」「社会は厳《きび》しいんだぞ」といつも言われていました。これは福島の原発事故が起きる前、私が幼《おさな》いころから言われてきたことでした。私が生意気《なまいき》で口が立つから、そんなことを言われてしまうのだと思っていた時期もありました。

しかし、実際にはどうでしょう。社会の「厳《きび》しさ」とは、この社会に蔓延《まんえん》する「嘘《うそ》」「不正」「隠《いん》ぺい」のことを指していたのです。「子どもなんだから」とか「社会のこともろくに知らないくせに」という言葉は、子どもの指摘《してき》に反論できない大人の苦しい言い訳なのではないでしょうか。子どもの意見は「大人の事情」によってもみ消され、「聞こえない」ふりをされてしまいがちです。子どもの曇《くも》りなき眼《め》は「愛」と「生きる」こととは何かを常に見ているように私は思います。命やそこにある美しい自然といった、かけがえのないものよりも、「自分たち自身のこと」を必死に守り、そのとき限りの甘い蜜《みつ》を吸《す》う「大人」の姿を、子どもたちや若者はあのとき、見ていたのです。

私は少なくとも、自分より年下の世代に「社会に出たらわかるよ」とか「社会は厳しいよ」なんて言えません。むしろ、そんなことを言うのは恥《は》ずかしいと思います。世の中ってこんなもんだからさ、しかたないよ、とうそぶく人はたくさんいますが、その姿勢で、嘘や、不正や、隠ぺいを野放《のばな》しにしてきた積み重ねが、原発事故を招いたと私は考えています。

これはもちろん原発の問題だけではなく、社会問題すべての根底にある構造《こうぞう》だと言ってもよいでしょう。「しかたない」と言った瞬間に、未来の世代の一つの道が消え、重荷《おもに》が一つ増えているのです。「しかたない」と片づけることが、状況を受け入れる器《うつわ》がある大人の態度《たいど》だと考える人も多いですが、私はそうは思いません。あるいは、若い世代に見せないように、見えないように、と隠《かく》すことが「大人の思いやり」で、それが「愛」だと言う人もいるでしょう。でも、それは本当の「愛」なのでしょうか。隠してきたことの数が多くなればなるほど、あとから背負《せお》わされる荷物は大きくなります。その連鎖《れんさ》が、今の若い人たちの生きにくさにもつながっているのではないかと私は考えています。

「幸せの道」は幻想だった

いい子に育ち、いい学校に入り、いい会社に入る。そしていつか収入の安定した人と結婚する。それが私に敷《し》かれた「幸せへの道」でした。私は「この道しかない」と思っていました。できる限り従順《じゅうじゅん》に、その道の上を歩くように努力もしてきました。

しかし、原発事故で生活が変わり、私はそれまで歩いてきた「幸せへの道」が凝《こ》り固まった常識の中で作られた幻想だったこと、私が自分で選んだ道であるようでいて、実はそうではなかったことを痛感《つうかん》させられたのです。ある意味これは、日本の教育の「成果」だと私は思っています。反論したり、疑問を感じたりしない人間を育てることにこの国は成功したのです。私たちの世代は「ゆとり世代」と言われて、これだからゆとりは、という言葉で何度も傷つけられてきました。しかし、考えない、考えられない、想像力と創造力を捨てざるを得ない競争社会を生きるしかない道を作ったのは紛《まぎ》れもない、「これだからゆとりは」と言っている年代の人たちではないかと私は思うのです。

高校の三年間は勉強にほとんど集中できず、ある人からみればやる気のない生活をしていたとしか見えなかったと思います。しかし、私は高校を卒業するとき、この真っ黒な高校三年間が、「生きる覚悟」を決めるために必要な時間だったと感じました。確かに、「普通」の女子高生のように過ごしたかった。しかし、もっと勉強すればよかったとか、もっと気楽に過ごせばよかったとか、そういうことは一切思いませんでした。死ぬほどつらい日々は高校を卒業したあともつづきましたが、この高校三年間よりもつらいことはありませんでした。

そして、「原発事故があってよかったとは思っていないけれども、この体験があったからこそ、気がついたことがたくさんある」と思うようになりました。

6　五年目

いらだち

両親とはずっとわかり合えず、私としても両親を理解しようとする気をもてずにいました。自殺願望もまだくすぶっており、このまま家にいることに危機感《ききかん》を感じていました。

短大に入学してからはバイトをしてお金を貯《た》めながら、一年生のうちに卒業に必要な単位のほとんどを取得《しゅとく》しました。それは高校生のときに決意した「北海道に移住する」という目標のためでした。

北海道に行くことで、私は何よりも自分が生きる気力を取りもどすことができるのではないかと思っていました。当時はまだ誰かに甘えたい気持ちがたくさんあって、北海道に行けば、わかってくれる人がいるはず、とか、支えてくれる人がいるかもしれない、という気持ちもありました。いずれにしても、北海道なら生きていける、と思っていました。

短大一年生の終わりごろ、山形県内で3・11のセレモニーが予定され、福島からの避難者《ひなんしゃ》で話ができる人を探しているという話を聞き、思い切ってスピーチすることにしました。公《おおやけ》の場で、不特定多数の人に自分の思いを伝えるのは、はじめてのことでした。このとき私は、メディアの震災や原発事故の報じ方に疑問を感じていました。「みなさんのおかげでこんなに幸せに暮らせています」とか口が裂《さ》けても言えないと思っていました。

高校生のときに、石巻にボランティアに何度か行ったことがありました。そのとき、がれきの中から生活用品が出てきたりしたときに、私は「ああ、ここで生きていた人がいるんだ」という虚《むな》しさと、自分の無力を感じました。そして現地の人たちがいかに希望を失って、「無関心」な人たちに対してのの怒りすらも失って、失望しているかを目の前で見てきました。

テレビでは「希望」にあふれた話ばかりが取り上げられて、「がんばろう東北」とか「復興《ふっこう》」「絆《きずな》」とかのキャッチコピーがひとり歩きしているように思えました。福島の隣県である山形県にも例外なく、放射能が降《ふ》りました。でも結局、聞きたくないこと、見たくないことからは目をそらしながら、「寄り添う」「わかち合おう」と声高に叫んでいるのを私は冷めた目で見ていました。放射能汚染を他人ごとのように見過ごしながら、3・11が近くなると当事者顔でセレモニーを企画するのは、私にとってはちぐはぐに思えて、正直いらだちすら感じていました。

はじめてのスピーチ

登壇《とうだん》したセレモニーでは放射能被害についても淡々と伝え、ここにも放射能は降っているという事実を話しました。その日のSNSに、私は次のように投稿しました。

本日は寒い中セレモニーにご参加いただきまして、本当にありがとうございました。私にとって四年という歳月は……、感覚として、もう、何十年も過ぎてしまった気もしています。それでいて、震災のことは昨日《きのう》のように思い出します。

今日のセレモニーの私の話は、報道陣の方々からすると本当に扱いにくい内容のスピーチだったと思います。編集せずに、報道していただきたいという思いで、いっぱいでした。しかし実際は、オールカットという形で、私が話している姿は、生放送のときのみ数秒の放映となりました。

本当に残念です。しかし、それが今の日本の報道のあり方であり、現状であるということを考えると情けなくもあり、また納得《なっとく》もしています。

私は本当に伝えなければならないことを、あの数分にまとめました。もしかしたら、多くの方から非難《ひなん》を受けるかもしれないという思いもありました。しかし、私は伝えなければならないと思いました。報道陣のみなさんは、何を報道しているのでしょうか。何を伝えなければならないのでしょうか。

「私は山形県に感謝しています。多くの支援をいただいていますし、県、市の方のお働きによって、高校に通えたことに、本当に感謝いたします。県民のみなさまの温かいご支援、本当にありがとうございます」と、本来ならばスピーチで入れるべきだとは思いました。しかし、私はそうしませんでした。

私の今回のスピーチでは、大人が言えないことを言うこと。自分の思っていること、考えていることを素直に伝えること。この二点に重きをおこうと思い、感謝の言葉は、最後にまとめて申し上げました。最後駆け足になってしまい、申し訳ありませんでした。

きれいごとをならべるのは簡単です。

大丈夫、なんとかなる、復興《ふっこう》は進んでいる、除染《じょせん》が進みはじめている……。

しかし、現実はもっともっと厳《きび》しいと私は考えています。

忘れないで……というのはもちろんなのですが……。実際のところどうなのだろう……と思います。

知ることからすべてははじまると思います。

私はまだまだ原発に関してもこの国の仕組みに関しても勉強不足ではありますが、知恵、知識をつけるために自分なりの努力をしています。

今年は去年よりも発言、発信の場を広げていけたらと思っています。私からも動いていくことはもちろんですが、もしも、機会の場を提供《ていきょう》してくださる方がいらっしゃいましたら、ぜひお声かけいただければと思っております。

短大の残り一年間、生き延びるために、日々、現実と向き合い、自分のために歩んでいきたいと思っています。

最後になりましたが、以下本日のスピーチ原稿になります。少しアドリブ等ありましたが、ほぼ、この原稿通りです。

「今日で震災から四年という歳月が過ぎ、五年目になります。震災当時私は十五歳でした。

今回私がみなさんにお伝えしたいこと……それは、原発事故は今もなおつづいているということです。山形県も汚染されています。

今みなさんにとって大切なものは何ですか。お金ですか？……権力ですか？……地位ですか？……私はいちばん大切なものは命だと思います。震災でも多くの命が奪われたわけですが、命がなによりも大切なことは、よく考えればわかることです。

それなのに、私たちは、さまざまなものごとに依存し、とらわれ、日々過ごしてしまっているために、多くの人が事実と向き合うことができていないという現状があります。

……福島から出た人はもちろんですが、そのほかの汚染地帯から出た人、残った人……。それぞれに……重い決断と覚悟が必要だったということを忘れないでください。そして、どうか知ってください。震災のこと、原発事故のことを知ってください。山形県も汚染されているということを認識《にんしき》してください。

原発という重荷《おもに》を私たち若者だけに押しつけないでください……。

この大きな荷物を残したのは誰なのか……今日、明日、これからも考えつづけてください。

私は今自分にとって何が優先であるかということを考えています。私にとって今優先なのは、一日でも早く、汚染地帯から離れ、より安全なところで、自分で道を選び歩んでいくということです。私はそう、考えています……。

どうか、みなさん、原発事故は今もなおつづいていて、汚染がつづいているということ、私たちも常に放射能の危険に否応《いやおう》なくさらされているということを知ってください。

最後になりましたが、今日こうしてお集まりいただきまして、ありがとうございました。亡くなった方に追悼《ついとう》の意を表して私の挨拶とさせていただきます。

今日は本当にありがとうございました」

人は言い訳を探す

この日スピーチしたあと、一人の男性から「実は私も山形は危険だと思っていて逃げたいのだけれども、避難しても仕事がないだろうし避難できません。どうしたらいいでしょうか」と尋《たず》ねられました。私は少し考えて、「もしも、私やこの国が仕事を準備しますから逃げてくださいと言ったら、あなたは逃げるんですか?」と聞き返しました。その方はふと考えて、「……逃げないかもしれない……」と答えました。私は「それがあなたの答えです」と言い、話が終わりました。

人は大きな決断を迫られたとき、「本当はやりたいこと」ができない言い訳を探してしまいがちです。あのとき、多くの人が避難ではなく現地に残る決断をしました。私はその決断が間違っているとか、正しいとか、そういうことが言いたいわけではありません。大切なものを守るための「覚悟」の決め方は人それぞれだろうと思うからです。ただ、この男性の「本音」はどこにあったのだろうか、と考えてみると、彼の「できない理由」を解決したときに残ったものが本音なのだろう、と思いました。この方は自分でも知らないうちに、「やりたいこと」も「できないこと」も自分の本音とは違うものだったのです。

「抜け落ちた世代」と言われて

同じ時期、私は山形市の職員と話をすることがありました。その人には「これまで避難してきた母子の支援はしてきたけれども、対象年齢が低かったし、あくまでも母子支援だった。あなたたちの世代への支援は抜《ぬ》け落ちていました。本当にごめんなさい」と言われました。何かが伝わったのかな、と思うと同時にその「抜け落ちた世代」がもう社会に出るような年齢になってきていることに危機感をもちました。

私もつらい高校時代を過ごしましたが、当然ながら昔の同級生たちも、とてつもなくたいへんな苦労を強《し》いられて生きてきたはずです。そのことに無自覚なまま過ごしている仲間も少なくないことでしょう。放射能が降り注ぐ中で生活するということは、神経をとがらせていては難しいことです。どこかで感覚を麻痺《まひ》させなければ生きていけません。現実を直視《ちょくし》すればするほど、ここでは生きていけないのだ、ということを考えてしまうし、生きるために「安全」を語る情報や専門家の意見を信じてきた人もいます。

一方、多くの子どもたちはさまざまな気持ちを自分の中に押しこめ、箱の中に入れ、これまでずっと生きてきているのです。そして「抜け落ちた世代」の私たちは、子どもでもないし大人でもない「多感な時期」で、この原発事故を経験してきました。本来ならばすべての子どもたちがカウンセリングを受けてもいいくらいのできごとだったはずです。しかし、実際に行われているのは、甲状腺検査だけです。

短大で政治や経済、憲法の勉強をしながら、考えたことがありました。国を一本の木にたとえたとき、一枚の葉を外から着色したところで、何も根本は変わらない。根や土、水が変わらなければ、木の葉の色だけ変えても全体は変わりません。つまり、たとえば総理大臣が誰になろうと、人々の考え方が変わらなければ、何も変わらないのではないか、と。

もし原発事故の責任を誰かがとったとしても、私が受けた心の傷と、失ったものは永遠に帰ってはきません。ではその傷は誰が癒《いや》し、失ったものは誰がうめ合わせするのか。それは最終的に、私自身が自分と向き合って、やっていかなければならないことなのではないかと気づいたのです。私の人生を生きるのは東電の社員でもなければ、この国の総理大臣でもない。親でもない先生でもない。「私」が自分の人生の責任者であり、主人公なのです。

国を成長させるのも国民次第ということなのだと気がついて、私は短大を卒業したら、自分が変わるために行動しようと考えました。

7　新しい旅立ち

自立してみてわかったこと

短大二年生になった私は北海道に移住しました。親に止められることはわかっていました。飛行機のチケットをとって荷物をまとめて、出発の一週間前に、「私はこの家を出る」と打ち明けました。予想通り、両親には止められましたが、押し切って家を出ました。卒業に必要な単位はほとんど取ってあり、理解ある教授のアドバイスもあって、短大を卒業しました。

私の場合はあとから思えば、不幸中の幸《さいわ》いとしか思えないようなことがたくさんありました。避難《ひなん》できたことはもちろんのこと、カウンセラーや数少ないながらも話を聞いてくれる人に出会い、そして自分の足で立とうと思うことができました。だからと言って、「ほかの人よりも自分は苦しくなかった」「ほかの人よりもましだった」などとは決して思いません。親やまわりの人から何度も言われた「逃げることができたんだから」「残った人はもっと苦しいのよ」という言葉は、聞くたびに、思い出すたびに胸が苦しかったです。「苦しい」「つらい」「助けて」……とたくさんの気持ちをノートにつづって、人に伝えて、ようやくここまでよく生きのびてきたね、と思っています。

また、親もとを離れてから、自分も親も、どれほど共依存的《きょういぞんてき》な親子関係を築《きず》いてきたのかに気づきました。その現実を受け入れるのも、とてもつらいプロセスでした。

私は小さいころから、「誰にも迷惑《めいわく》をかけずに生きていきなさい」と親に言われて育ちました。しかし、自立してみてわかったことは、「人は迷惑をかけないで生きていくことなんて、できないんだ」ということでした。

人に頼《たよ》っちゃダメとか、頼るのは情けないとか、頼ると迷惑がかかるとか、そういう気持ちが強かった私は、いざ自分が困ったとき、まわりの人に、それをどうやって伝えたらいいのかも、わかりませんでした。「誰かのために何かをしてあげられる人になりなさい」とも親に言われてきて、私もそのような人間になりたいと思っていました。でも、実際、誰かのために何かができる人は、自分が誰かに「助けてもらった」という「恩《おん》」を知っている人なのだろう、とも思うようになりました。

愛が足りない

あの日、目の前で高線量の放射能が降《ふ》り注《そそ》いでいるのに子どもが遊び、大人が普通に会社に行く姿を見て、あまりにもひどい、と私は思いました。

あのとき私が目《ま》の当たりにしたのは、自分や他者《たしゃ》の命よりも、仕事や地位やお金を優先する、いきすぎた資本主義《しほんしゅぎ》社会のむごさだったのだと思います。「今さえよければ」という考え方が、自分自身の命と、この大地すらも蔑《ないがし》ろにしているように思えたのです。

原発がクリーンで、「明るい未来のエネルギー」などというのも、私にとっては、まやかしでしかありません。そもそも事故が起きなかったとしても、地球を長い間汚染《おせん》しつづけ、何万年も管理が必要になる核のごみのことを考えれば、原子力発電の未来はお先真っ暗です。

電気を使うことで原発の恩恵《おんけい》を受けてきたのだから、核のごみも「自己責任」で管理していこうよ、という話もよく聞きます。でも考えてみてください。恩恵を受けてきたのは誰で、報《むく》いを受けるのは誰なのでしょうか。「あとは君たちの世代の問題になるから、君たちが自分ごととして考えてね」というメッセージを発する人もいますが、それはあまりにも身勝手《みがって》のような気がします。「自分ごと」として考えてね、と言いながら、自分たちはそうしてこなかった結果、負の遺産をほうり投げて、責任を次世代になすりつけるような言動を、私はしたくありません。

事故以来、犯人探しをして、あいつがわるいんだと人を憎《にく》み、最終的に自分を殺すような方向に向かったときのことは、5章に書きました。しかし、その後、私はあるときを境《さかい》にして、深い虚無感《きょむかん》に苛《さいな》まれるようになりました。人を憎《にく》むことに疲れてしまったのです。

私が原発事故を経験してもっとも何度も考えたことといえば、「愛」が足りない、ということでした。しかし、愛がなかったのは私自身も同じでした。自分を愛すること、誰かを愛することがどんなことなのかもわかっていませんでした。そのくせ、まわりから愛されることを望んでいて……。

今思えば、なんて自分勝手だったのだろうと思います。

なぜ福島が

私は原発事故があったときに、フクイチ（東京電力福島第一原子力発電所のこと）で作っていた電気が、福島では一切使われていないということをはじめて知りました。

自主避難したあと、なぜ地元で使うことのない電気のために、福島がこんな犠牲《ぎせい》を払わなければならなかったのかと、心の底から憤《いきどお》りを感じました。原子力、すなわち核を引き受けた人たちのことなど知らずに、過ごしている人がいるのかと思うと……。しかし、その怒りや恨《うら》みつらみの矛先《ほこさき》を向けるべき相手は誰なのだろうか、とも考えるようになりました。

今私が思うのは、ごくごく少数の「上級国民」にとって都合がいい社会システムが作られていて、私たちはときに、この資本主義《しほんしゅぎ》という社会システムの被害者になったり加害者になったりしているのではないか、ということです。

東京オリンピックの招致演説《しょうちえんぜつ》で汚染水はコントロールされていると言った総理大臣がいましたが、コントロールされているのは汚染水ではなく、人々の心のほうではないでしょうか。原発事故はすでに終わったこととして社会的には認識《にんしき》されているような気がしますが、まったく終わっていません。むしろ、これから何十年、何百年にわたって引き継がざるを得ない、負の遺産です。

この残酷な世界で

これまでのシステムを変えないまま、これからの世の中をよくしていこうというのは無理のある話です。戦争に負けたあと、高度経済成長の階段を上って物質的な豊《ゆた》かさは得《え》たかもしれません。しかし、この先何十、何百、何千年もの間、おびえなければならない「核」と「環境破壊」という最大にして最悪の遺産も、残されました。経済優先に走った、このたった一世紀たらずで、自分の命も誰かの命も平気で天秤《てんびん》にのせる、憎《にく》しみと悲しみのあふれた社会を作り出したのです。

私は原発事故で、心身両方に傷を受けてきました。だからこそ、感じることにふたをしたくないのです。人が何も感じなくなり、考えることすらやめたとき、世界の色やにおいはなくなって、近くにある幸せや悲しみも、感じることができなくなるでしょう。そんな思いやりのない、生きていることに意味を見いだせないような世界で生きるのは、私はとてつもなくいやなのです。先人たちが残してくれた、美しい自然というすばらしい遺産を私は大切に守りたい。そして同時に、核や環境破壊をなくす道を模索《もさく》したい。そうした、「悪《あ》しき遺産」から目をそらしたくないのです。

高校生の私にはこの世界がとてつもなく残酷《ざんこく》で、それでもこの世界が美しく見えていました。私にとってその時間は苦しいものでしたが、かけがえのないものを「感じる」練習をする、大切な時間でした。大人になるにつれて、感じることがこわくなってしまうこともありますが、私はもう、気持ちにふたをするのはやめよう、と呼びかけたいのです。確かに、気持ちにふたをしていなければ、つらすぎてやっていけなくなってしまうものかもしれません。しかしだからと言って、この世の残酷《ざんこく》さを見て見ぬふりしていて、いいのでしょうか。それでは何も変わらないのではないかと私は思います。

もう、変えなければ

今の世の中がどうして残酷《ざんこく》なのかというと、これまでのシステムは、自分や誰かに言い訳をして生きることを「正しい」と勘違《かんちが》いさせる側面があるからです。そうした生き方は、人の感性や「生きる力」を奪《うば》っていくと私は考えます。これまでの先人の努力が間違ってきたというのか！　と憤りをおぼえる人もいるかもしれません。が、逆にこのシステムが正しいのであれば、未来を担《にな》うはずの若い人たちが、どうして、こんなにたくさん自殺しなければならないのですか。どうして、路頭《ろとう》に迷う人がいるのですか。どうして、弱者が弱者でありつづけなければならないのですか。これも「自己責任」なのでしょうか。もう、変えなければ、変わらなければならないのではないですか？

今の社会システムを変えるには私たち一人ひとりの変化が必要になります。これには当然痛みがともない、覚悟も必要です。しかし、その痛みをなくして、核廃絶も、環境問題の解決も実現しないのではないでしょうか。誰かにシステムを変えてもらおう、と言うのでは、自分で考えることをやめてしまうことにつながるでしょう。

再び眠りに落ちる人

3・11で私たちは、目が覚めたはずでした。当たり前の生活が奪《うば》われ、故郷を失い、死と絶望《ぜつぼう》を目の前にしたはずです。隣《となり》の人、親戚《しんせき》の人、知人がまき込まれ、その現実に言葉を失いました。そして、あのとき「何かしなければ」「変わらなければ」「変えなければ」と思ったのではないですか。

しかし、いつの間にかその思いは「絆」や「復興」という言葉で、瓦礫《がれき》や除染《じょせん》された土壌《どじょう》とともに片づけられ、津波のことも原発事故のことも、すべて「過去のこと」としてあつかわれています。毎年3・11がやってくれば、カメラが現地をまわって「これだけ復興した」と言い、被災者の人にインタビューをして、「前に進んでいる」ことに光を当てる。いつの間にか、目を覚ましたはずの人たちは外野でそれを見る側にまわって、他人ごとだと思って再び眠ってしまったのではないですか。

私が「寄り添う」という言葉に違和感を感じるのは、思考停止したまま、「寄り添う」ことなど不可能だと感じるからです。しかし、これまで、「私たちに何ができますか?」と尋ねる人はいても、「あなたは何を必要としていますか?」と尋ねる人はいませんでした。「被災者のために何ができるんだ!」と怒り嘆《なげ》く人もたくさんいましたが、逆に私が「あなたはどうしたいのですか?」と聞いたときに、答えられる人はいませんでした。

私がもっとも暗い道を歩いていた高校時代に、あたたかく「寄り添う」言葉をかけてくれた人は、ほとんどいませんでした。言葉をかけてくれなかった人を責めているのではありません。私がここで言いたいのは、「なぜ言葉をかけられなかったのか」、ということです。

目覚めた人の中には、本当に大切なものを取りもどすために行動を起こした人もいました。生命《いのち》に立ち返り、作物を育てることをはじめた人や、福祉《ふくし》や医療《いりょう》の知恵《ちえ》をつけようと、学びはじめた人もいました。

しかし、あのあと、「絆」や「復興」「寄り添い」などという、うわべだけの言葉で満足、納得してしまい、また眠ってしまった人も多かったのです。

「また今度」と言える

私は数年前に昔の同級生を自殺でなくしました。東日本大震災と原発事故を経験したあと、「また今度」が二度とないことがある、ということは身をもって感じていたはずでした。しかし、同級生の自殺でまたさらに、そのことを突きつけられました。どうかあなたの大切な人、大切なものを見失わないでください。いつもそれはあなたのそばにあります。失ったあとにどれだけ嘆《なげ》いても、大切なものは二度ともどってきません。

私がここで伝えたいことは「一緒に生きていてほしい」ということです。よく、うつの人に「生きて」とか「死んじゃだめ」とか言ってはならないと言いますよね。でも、私はこの説に疑問を感じています。

私は避難したばかりで真っ暗なトンネルの中にいたときに、「わかなさん、死んじゃだめだ」と伝えてくれた人がいます。そのあとも何度も死にたくなったけれども、そのたびに頭の中でまるで再生機のように「死んじゃだめだ」という声が何度も聞こえていました。私が自殺に失敗したときも、この声が私を助けてくれたのかもしれません。そして、今私は当時の私に「死なないで」と思っているし、「死なないでいてくれてありがとう」と思っているけれども、この気持ちはひょっとしたら、めぐりめぐって今の私から、当時の私に届いていたのかもしれません。今の私は過去の私がいたから成り立っているように、過去の私も今の私によって、成り立っているかもしれません。

経験から学びなおす

「わかなさん、これから、どうしていけばいいと思いますか？」と尋ねられることがあります。しかし、いきなり私にその答えを求めるのはナンセンスではないかと常々感じています。むしろ私がみなさんにおうかがいしたいくらいです。「どのように責任を取るつもりですか」と。というのも、「どうしていけばいいのか」を必死に考えて行動していくのが「大人」の責任の取り方なのではないかと私は思うからです。

一九五四年にビキニ環礁《かんしょう》で行われた水爆《すいばく》実験で日本の漁船、第五福竜《だいごふくりゅう》丸《まる》が被《ひ》ばくし、死者が出ました。しかし、その大きなできごとがあったにもかかわらず、一九五七年、わずか三年足らずで日本原子力発電株式会社（原電）が設立されたのです。一九六六年には日本初の商業用の原発として、茨城県東海《とうかい》村で東海発電所が運転を開始しました。この間、日本は高度経済成長期で、第五福竜丸《だいごふくりゅうまる》のことや核のことなんて、いつの間にか人々の関心ごとからはずれてしまったようです。そして、その東海村では一九九九年、ＪＣＯ（現在はウラン廃棄物の保管管理をしている会社）の作業員が大量に被ばくするという大事故が起きて、このときもまた、死者を出すことになりました。日本では原爆《げんばく》が二つも落とされ、その後もこのように何度も核による被害者を生んできたにもかかわらず、「立ち止まる」ということもせず、ここまで来たのはなぜですか。

二〇一一年、福島で原発事故があったのは、しかたがなかったのでしょうか。福島での原発事故があってようやく、日本中の原子力発電所が止まりました。原発は止めることができない、と言われていたそうですが、やればできるじゃないですか。どうして今までそうしなかったのですか。変わるきっかけは何度もありました。しかし、変わらなかった、いえ、正しくは、変わろうとしなかった。「次世代のために」と言いながら、次世代の未来をかえってつぶすようなことばかりしている「大人」たちの言動を見るたびに、「なんて滑稽なんだろう」とがっかりしてきました。

私は父をはじめ、避難後に出会った大人からも「申し訳ない」「大人がこんなで本当にごめんね」と言われることがたびたびありました。私はずっと、この謝罪《しやざい》の意味について考えてきました。そして、自分たちの世代が若い人の未来を奪《うば》っている自覚があるからこそ、この言葉が出てくるのだろうと思うようになりました。

しかし、私は謝《あやま》ってほしいわけではありません。行動してほしいのです。もちろん原発の問題だけでなく、あらゆる問題について無関心でいてほしくありません。謝るくらい身に覚えがあるのであれば、その思いを自分の日々の行動に反映させてほしいのです。

私は、「原発を作ってきた世代」の方々の力が必要だと感じることがたくさんあります。それは、みなさんが、子どものころから「しかたがない」と、あきらめさせられてきた結果、無関心な人々にならざるを得なかったからではないか、とも思うからです。でも、そのあきらめの積み重ねで、地震列島の日本に原発が五十四基も作られ、大きな事故も起きてしまいました。私はもうこの負の遺産の連鎖を止めたい。そのために、どうして「しかたがない」とあきらめてしまったのか、その経験を教えてほしいのです。

私たちの世代は、生まれる前のことは残念ながら学校でも限られたことしか教えてもらえず、その「しかたがない」とあきらめざるを得なかったできごとについて、詳《くわ》しく知りません。だからこそ、私はその経験をしてきたみなさんの力をお借りしたいのです。どうか、年齢、地位、性別を超《こ》えて、これからの時代をよくしていこうとする仲間に加わってください。

私の希望

パンドラの箱というギリシャ神話がありますよね。最高神《さいこうしん》ゼウスがパンドラにもたせた箱には災《わざわ》いがつまっていて、開けたらそれらが飛び出したけれど、急いでふたを閉めたら最後に残ったものは「希望」だった、というお話です。私自身の経験にもとづく解釈《かいしゃく》ですが、もしかすると、箱から飛び出した災いから一つずつていねいに学びを得《え》ていれば、必ず希望にたどりつく、と考えることもできるのではないかと思いました。

もし、私が高校生のときに当時の絶望感《ぜつぼうかん》から逃げていたならば、今の私はここにいなかったことでしょう。箱の中に残った希望に気づくことなく、「決して希望なんてこの先ないんだ」と絶望していたことでしょう。

私が東日本大震災と原発事故を経験して思う理想の世界は「誰もが希望

をもって平和に暮らせる世界」です。日本で理想を語ると、それは夢物語だと人からばかにされたりします。しかし、理想はよりよい未来の現実を引きよせるために必要不可欠なもので、理想がなければ、努力もできないのではないかと私は思います。

環境問題のように、もう間に合わない、と思ってしまうようなことも、無理だから努力することすら無意味だとあきらめるのか、無理だとわかっていても最後までやり遂《と》げようとするのか。前者と後者では、生き方がまったく変わってくることでしょう。

かく言う私も、希望という言葉がきらいだった時期があります。苦しいときには、こんな世の中で希望なんてどこにあるんだ、という考えが私の中にもありました。希望なんて、ゆるふわした人たちが夢見心地で言っているだけだ、と。

しかし、原発事故から十年たって私が感じるのは、希望はどこかにあるのではないんだ、ということです。希望がパンドラの箱に残ったということは、希望はずっと私たちの内にある、ということではないでしょうか。私が「生きるんだ」と思ったあのとき、私は何ものにも代えがたい希望を手にしたのです。

今私は、理想とする未来を実現できるかどうか、考えて悩むよりも、理想を描《えが》く自分に対して誠実《せいじつ》に行動したいと思っています。自分の中にある希望を見失わずに、進んでいきたいのです。

あとがき〜私の「生き方」

私は北海道に来て、ようやく「自分の足で生きていく」ことをはじめました。それまでつくろって「いい子」をしてきた私が「本当の私のままで生きていく」ことをはじめたのです。もちろん苦労も多いですが、日々とても充実しています。なぜなら「生きること」を噛《か》みしめているからです。月並《つきな》みな言葉になりますが、北海道に来て、私は本当によかったと思っています。そして、生きていて本当によかったとも思っています。

あとになって、なぜ、高校二年生のときにツイッターで北海道の人が声をかけてくれたのかがわかりました。それは、チェルノブイリ原発事故があったときから活動してきた人が、たくさんいたからだったのです。北海道では福島の原発事故がある前から、核《かく》に対しての危機感をもって活動してきた人がたくさんいました。それでも、この土地でも泊《とまり》原発が建設され、幌延町《ほろのべちょう》には核ごみ処分のための研究所が作られ、二〇二〇年からは寿都《すっつ》町《ちょう》と神恵内村《かもえないむら》で、核ごみの引き受けの話が出てきているのです。

私は二〇一八年から、自分の経験を講演会で話しています。講演が終わってから「がんばってね」と言われることがあります。そのたびにお伝えするのは、「一緒にがんばってください」ということです。私ががんばるだけじゃない、あなたもがんばるのです。被害者、傍観者でもなく、自分ごととして、当事者として、考えてほしいと私は心から願っています。

原発の問題、核の問題は、福島、広島、長崎の問題ではないのです。日本全国、そして世界の人たちが共通して解決しなければならない問題なのです。システムや誰かに依存《いぞん》して、「誰かに生きることをまかせる」生き方や、あり方が、私をはじめ若い世代にも影響《えいきょう》しています。

私は今、二十五歳になりました。あのとき、私がもしも、命を絶《た》っていたら、この文章もあなたにお届けすることはできませんでした。

もう二度と、核によって苦しむ子どもや若い人を増やしたくありません。私は原発事故があって故郷を離れ、はじめて「当たり前」のもろさと大切さを痛感しました。家族がそばにいること、たわいもない話ができること、学校に行けること、友だちがいること、自然が美しいこと、空気が普通に吸えること、土にふれることができること……生きていること。本当に守りたい「当たり前」は、いつも私のそばにありました。いつも私の手の中にありました。そばにあるのに、その感謝と慈《いつく》しみを忘れて、いろんな優先順位が入れ替わって「当たり前」がいつの間にかゆがんだものになり、「原発事故」という取り返しのつかないことになっていきました。

私はずっと小さいころから、きれいな砂の城をてのひらの上で作り上げていました。でも、その城は3・11を境《さかい》にしてくずれ去《さ》り、指の間から落ちていきました。落ちていく姿をずっと見ていました。哀《かな》しかったです。つらかったです。たくさん泣いて、泣けなくなって、苦しんで、死にたくなって…………。でも、ふと顔を上げたときに、少しだけ、てのひらにキラキラした砂が残っていました。それは、「当たり前」にそばにあったはずの「命」や「愛」や「思いやり」といった、あたたかなものでした。本当に守りたいものが私にはずっとちゃんとてのひらにあって、残っていたのです。私はこれを失いたくないし、このキラキラとしたものを見つづけられる心の眼《め》を大切にしたいと思います。

あなたの心の眼には、今、何が映っていますか。

二〇二一年二月十一日

わかな

解説　理科教師の孤独な闘い

川根眞也

地震の授業をしていた

私は埼玉県春日部市《かすかべ》、与野市《よの》、さいたま市で三十二年間、中学校の理科の教員として子どもたちとともに学んできました。3・11の原発事故以降、理科室にあった放射線量計で空間線量を測《はか》りつづけて、「放射線測定メール」を出してきました。

二〇一一年三月十一日十四時四十六分。私は中学一年生に地震の授業をしていました。

「地震の原因には、プレートとプレートがぶつかり合い、ひずみが溜《た》まり、地下の岩盤《がんばん》が壊《こわ》れておきるプレート境界型《きょうかいがた》地震と、プレートとプレートがぶつかり合い、プレート内部の傷ができてそれが左右や上下に動いておきる活断層型《かつだんそうがた》地震とがあってね……」。一つの生徒の机をガタガタゆらしながら「これがカタカタカタ……の初期微動《しょきびどう》、P波、縦波《たてなみ》。次にグラグラグラグラ……の主要動《しゅようどう》、S波、横波」と説明したとき、理科室がグラグラグラと長くゆれはじめました。「窓を開けろ、ドアを開けろ、蛍光灯《けいこうとう》の下、窓ガラスから離れて、机の下にもぐって、机の足をつかめ！」

　長くつづくゆれに、生徒の一部は半べそをかいていました。校庭に避難《ひなん》したあとも、パニックで女子生徒二十名以上が泣き出していました。ラジオが東北を次々におそう津波と、くりかえす余震《よしん》のようすを伝えていました。「宮城におばあちゃんがいるの……」と声をもらす生徒がいました。

放射線量を測る

翌日三月十二日には東京電力福島第一原子力発電所1号機が爆発。三月十四日の十一時一分には、3号機が爆発しました。この日は、放射線量計を理科室の暗室から探し出し、スイッチをはじめて入れた日でした。まだ「μSv/h」（マイクロシーベルト／時）という単位にも慣れず、また、どれくらい空間線量が高いのかもわかっていませんでした。この日の測定は四回だけ（図表1）。

三月十五日は卒業式でした。裏方として会場の体育館と、二階の職員室とをバタバタと走りまわっていました。パラパラと小雨が降っていました。

この日の朝、川口市の自宅で測定した空間線量は0・11〜0・13マイクロシーベルト／時。原発事故前の三倍くらいです。

卒業式が終わったのは午前十一時過ぎ。二階の職員室のベランダに空間線量計をもっていくと0・23マイクロシーベルト／時。あれっ？ちょっと高いな、と思いました。

その後、0・18、0・51、1・02、0・90、1・37、1・41と、ぐんぐん空間線量が上がっていきました（図表2）。

私は学校長に「校長先生、空間線量がどんどん上がっています」と伝えました。女性教員も「さいたま市の空間線量が十五日午前十一時現在、平常時の四十倍近くに」というメールのニュースを見つけ、「校長先生、さいたま市で空間線量が四十倍ですって」と伝えました。学校長の判断で、その日、私の中学校は屋外でも部活動なし、屋内活動だけになりました。

埼玉県さいたま市でもわずかに降った三月十五日の雨は、一回で、一般人が立ち入り禁止とされる「放射線管理区域」（法令上は「管理区域」）を生み出すほどの放射能汚染をもたらしたと思います。しかし、この日の雨

図表1　2011年3月14日(月)の測定値

10:00	第一理科室ベランダ　ビーカーに入れた水　3回平均　0.16μSv/h
13:00	同　0.12μSv/h
16:51	自動車内(A中学校内)　0.16μSv/h
20:03	西川口3丁目アパートベランダ　0.15μSv/h

図表2　2011年3月15日(火)の測定値

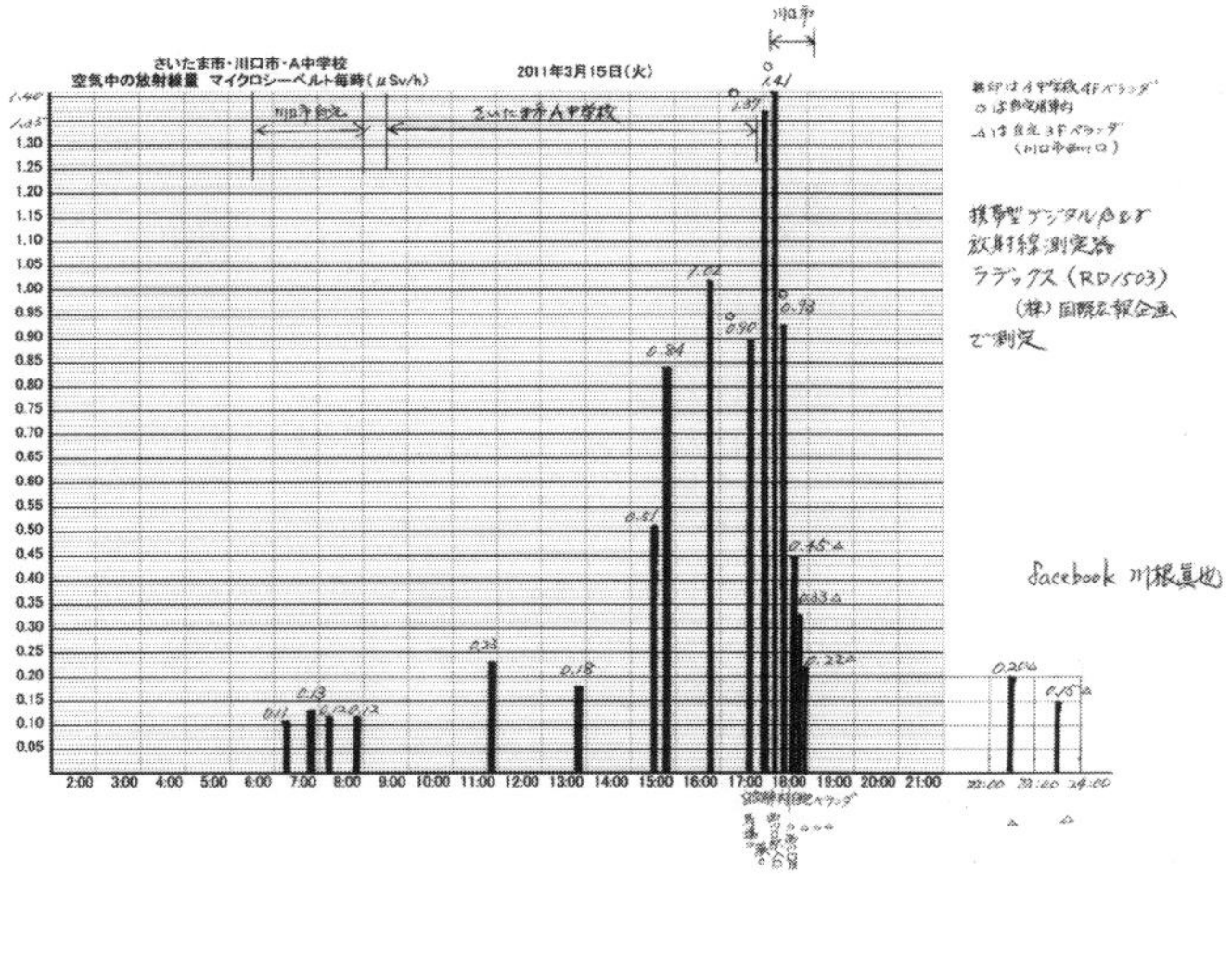

に含《ふく》まれる放射能濃度は公表されていません。福島第一原発から220キロ離れたさいたま市ですら、このような高い空間線量を記録したのですから、わかなさんの住んでいた福島県伊達《だて》市では、これをはるかに上回る濃度の雨が降った可能性があります。

さいたま市にも「管理区域」

三月十九日、二十日、二十一日は三連休でした。学校長の判断で、この三連休も屋外での部活動はなし、練習試合もなし、と決定されました。

三月十五日に職員室で会話していたところ、さいたま市教育委員会には、心配する保護者から何本もの電話がかかっていました。「今日の屋外での部活動はどうするのか？」「クラブ活動はどうするのか？」と。さいたま市教育委員会は「文部科学省は何の指示も出していない」「埼玉県教育委員会も何の指示も出していない」「だから通常の教育活動、課外活動を行ってかまわない」と答えていました。

結局、近隣の中学校、小学校では、放課後も屋外での活動が行われました。私の中学校が屋内のみの活動になっただけでした。三連休も同じです。あとでわかったのですが、この三連休は三月十五日に次ぐ、プルーム（放射性雲）が流れてきた日であり、三月二十一日は原発事故後晴《は》れ間《ま》がつづいたあとの、もっともまとまった雨が降った日でした。この日に埼玉県さいたま市で計測された、ヨウ素１３１が２万２０００ベクレル／㎡、セシウム１３７が１６００ベクレル／㎡は[*2]、「管理区域」の４万ベクレル／㎡の約半分に相当する値です。たった一日の雨で、さいたま市にも「管理区域」並みの汚染地域ができてしまったのです。それを多くの学校関係者は無知《むち》をいいことに、また、上からの指示がなかったことをいいことに、子どもたちを被《ひ》ばくさせてしまったのでした。

孤立した闘い

原発事故がおきて埼玉県さいたま市でも放射能汚染があるにもかかわらず、多くの人々は普通に生活していました。雨が降ってきても傘《かさ》をささずに歩くし、屋外でもマスクをしません。学校では福島県産の牛乳が他県産の牛乳と混ぜられ、給食に出されていました。

私は二〇一一年五月十九日の朝日新聞の記事[*3]を読んで、激怒しました。この記事は十六都県の牧草を調べたところ、八県の牧草が基準（事故直後の飼料の暫定許容値は300ベクレル／kgだが、許容限度3000ベクレル／kgという例外も設けられていた）を超えたため、刈《か》り取った牧草は牛に食べさせてはいけない、捨ててもいけない、当面保管しなければならない、と農林水産省が指導した、という内容でした。

私は、この国の政府をまったく信用できなくなりました。四月、五月に私や生徒たちが飲んでいた牛乳は安全だったのでしょうか？　牧草だけが汚染されることがありうるでしょうか？　その地域の野菜、平飼《ひらが》いの鶏《にわとり》の卵は大丈夫なのでしょうか？　原発事故がおきたこの国で、すべての食材は産地がわからないと安心して食べることができない、と思いました。私は牛乳を飲むのも、学校給食を食べるのもやめ、お弁当をもっていくことにしました。

私の取り組みを職場では理解してくれませんでした。担任でお弁当をもって来ているのは私だけ。放射能ばかり気にしている変わった人扱《あつか》いでした。ただし、これから保育園に入ろうという小さい子をもつお母さん先生がこっそり、「どんな食べものが危ないの？」と聞きに来ました。また、軽井沢に別荘をもっている教員が廊下に私を呼び出し、「実は軽井沢市から連絡があって僕の別荘の敷地内《しきちない》を除染《じょせん》したいと言われた」と話してくれました。みんな心の底では「危ないかも」と思いながらも、「みんな給食を食べ牛乳を飲んでいるのだから大丈夫だろう」と思っていたのだと思います。根拠《こんきょ》もなく。

校長室に呼び出し

私が三郷《みさと》市の放射能対策室への交渉に参加したり、テレビ朝日ＣＳ放送「ニュースの深層」に出演したり、各地で講演していたのを聞きつけた教務主任、教頭、学校長から校長室に呼び出されました。「あなたは公務員で教師なんだから、給食が危ないとか、牛乳を飲むなとかは学校では言ってはいけない。生徒や保護者が不安に思うから」「教育委員会からは、川根がどういうかたちで講演会活動をやっているのか？　という問い合わせが来ているが、川根は勤務時間外で学校を離れて活動している、必要ならば年休を取って講演活動をしているから、学校側としても責任を問えない、と説明してあるから」「だから、学校を離れて、勤務時間外に活動するのは問題ない」とくぎを刺されました。二〇一一年の秋だったか、と思います。

それまで、授業でどんな話をしていたのかはよく覚えていません。できる限り、授業の内容に沿《そ》ったテーマで放射能について話していたと思います。しかし、保護者からクレームがあり、また、教育委員会には抗議の電話がかかっていたようです。学校にも素性《すじょう》不明《ふめい》の方からの抗議の電話が来ていました。夏休みに一時間三十分、冬休みにも一時間以上の抗議の電話があった、と。しかし、教務主任はその抗議の電話があったことを三月末の学年末まで黙《だま》っていました。私に余計な心労をかけたくない、と。抗議の電話をしてくるほうがおかしい、とわざと教えないでいてくれました。

三月には、中学三年生にエネルギーの分野のところで、できるだけていねいに放射線の危険や、埼玉県でも深刻な放射能汚染がおきたことについて、新聞記事などを使って教えました。ここでしか、ベクレルやシーベルトを教えることができないからです。毎年、中学三年生を受けもつようにして、三学期の「科学技術と人間」のところで、原発と放射線について授業していました。

通常、ほかの教員が二十分、三十分ですませるところを、三時間かけて教えました。そうしたら、保護者からクレームが来て、校長室に呼び出されました。「川根くん、授業で放射線のことばかり話しているのかい?」「保護者からクレームが来ている」と。「放射線のことばかり授業で話さないで、受験が近いから、受験対策の問題演習をもっとやってほしい」と。原発事故がおきた翌年、二〇一二年二月の話です。二年生は福島県の南会津町《みなみあいづ》にある舘岩《たていわ》少年自然の家にスキー教室にも行くし、小学校は群馬県の赤城《あかぎ》少年自然の家に修学旅行に行くし、せめて食べものだけでも気をつけてほしい、と思って話したのに、非難という鉄砲の弾は生徒と保護者から飛んできました。

二〇一一年七月十五日、どうしても、生徒に私が牛乳、給食を食べない理由をくわしく話したいと思い、中学校近くの公民館を借りて、講演をしました。私が講演活動をはじめた最初でした。のちに、内部被ばく《ないぶひ》を考える市民研究会の副代表にもなってくれた堀本秀生さんが、原発労働者としてガラスバッジ（個人外部被ばく積算線量計）の被ばく線量のことなどを話してくれました。生徒にチラシを配りましたが、来てくれた生徒は二人でした。保護者の一人が「参加はできないけれど」とCTBT高崎観測所（包括的核実験禁止条約《ほうかつてきかくじっけんきんしじょうやく》のもと、大気中《たいきちゅう》の放射能を観測している国際監視《こくさいかんし》網《もう》の一つ）のデータをプリントしたものを私に渡してくれました。つまり、保護者の参加はゼロ、です。

それ以降も、家庭訪問をした際に、保護者から川根先生の講演会をやりたい、という話が一度出ましたが、結局つぶれました。

校庭は二十倍、側溝の泥は百倍の汚染

原発事故の翌二〇一二年五月には、勤務先の中学校で校庭の土壌も測《はか》りました（図表3）。すると、中学校の校庭は二〇〇九年の年間平均の二十倍、側溝は百倍の放射能汚染になったのです。さまざまな健康被害が出てもおかしくない、と思っていました。

ふりかえれば、気になるできごとがありました。二〇一一年四月八日は、中学二、三年生の始業式、つづいて新入生の入学式が行われる日でした。教務主任が始業式と入学式の司会を行うのが通常です。彼はサッカー部の顧問で、よく日に焼けたがっしりした体つきの方でした。三十年来《ねんらい》インフルエンザにかかったことがない、という先生でしたが、四月八日の前日にインフルエンザにかかり、声が出なくなり、始業式と入学式の司会ができ

図表3　校庭土壌の測定値

	放射性セシウム	計測時期
校庭の真ん中の土壌（深さ5cm）	115Bq/kg	2012年5月
側溝の泥	461Bq/kg	2012年5月
埼玉県さいたま市桜区	4.8Bq/kg	2009年の年間平均

＊校庭、側溝は放射性セシウム合計、さいたま市桜区はセシウム137の年間平均。
＊さいたま市にできた市民放射能測定所に依頼。

なくなりました。私の三十年以上の教員生活で、あとにも先にもこうしたことは、このときだけです。サッカー部や野球部は春休み中、毎日のように校庭で部活動をやり、雨の日もサッカー部は練習試合をしていました。三月末には、側溝にたまった泥を部員と顧問が一緒になってかきだしていました。放射性セシウム461ベクレル／kgの泥を。私がこの汚染を知ったのは翌年でした。もっと早くにいろいろな土壌を測って警告《けいこく》をしておけばよかった、と後悔《こうかい》しています。

内部被ばくを考える市民研究会

原発事故による内部被ばく問題を考える研究会をつくりたいと、メールやツイッター、フェイスブックで訴《うった》えました。しかし、誰からも一緒にやろう、という声はありませんでした。半分、絶望《ぜつぼう》しましたが、「自分でやらなくて誰がやる」と思い直して二〇一一年八月二十九日、「内部被ばくを考える市民研究会（準備会）」を発足させる集会を、埼玉県さいたま市で開きました。

元原発労働者で、チェルノブイリ原発事故以降、反原発運動に転向した、堀本秀生さんが副代表に、私が代表となり、内部被ばくを考える市民研究会をスタートさせました。二〇一三年には講演会で寄付をつのり、福島県、神奈川県、千葉県の医師五人とともに、ベラルーシ卒後教育医学アカデミー

（ＢＥＬＭＡＰＯ）の医学研修に五日間参加しました。小児《しように》甲状腺《こうじょうせん》がんの診断と治療の医師向け研修で、私は記録係でした。そのとき、高放射能汚染地帯ゴメリ州も一日訪問しました。

ゴメリ州で被ばくした子どもたちの支援を行っている「子どもの家」を訪《おとず》れたときです。門柱下の土壌に空間線量計をおいたところ、空間線量計は０・０７１マイクロシーベルト／時を示しました（さいたま市が市民向けに貸し出している空間線量計〔堀場製作所のPA-1000Radi〕で測定）。これは二〇一二年五月の、さいたま市の私の中学校の校庭と同じ数値だったのです。

このゴメリ州では、多くの小児甲状腺がんの患者が出ています。いずれ同じことがさいたま市でもおきるのではないか、と心配しています。

二〇一八年三月に私は教職を早期退職しました。第１種放射線取扱主任者試験を受験し、岐阜県にできた民間測定所で、子どもたちの乳歯のストロンチウムを計測するお手伝いをしたいと思っています。また、原発事故で具合が悪くなった子どもたちのサナトリウムを建設したいと考えています。

（元さいたま市立中学校理科教員、内部被ばくを考える市民研究会代表）

注

1　「埼玉で放射線量上昇、さいたま市で平常時の四十倍近く－共同通信」ブルームバーグ、二〇一一年三月十五日。https://www.bloomberg.co.jp/news/articles/2011-03-15/LI2YB26S972801

2　原子力規制委員会による放射線モニタリング情報ウェブサイトの「環境放射能水準調査結果（定時降下物）」（三月二十一日九時～二十二日九時採取）より。

3　「汚染牧草、早期に刈り取り保管　農水省が指導方針」朝日新聞、二〇一一年五月十九日夕刊。

コラム4

小児甲状腺がんの世界一の権威に聞いたこと

チェルノブイリ原発事故でもっとも放射能汚染面積が広いとされるベラルーシ。筆者川根眞也は、原発事故から二十七年目にあたる二〇一三年三月、ベラルーシ卒後教育医学アカデミー（BELMAPO）の「医師向け甲状《こうじょう》腺《せん》がんの診断と治療」の研修に参加しました。そこで、同アカデミー学長であり国立甲状腺がんセンター所長のユーリ・デミチク氏の講義を受けました。

デミチク氏は、父エフゲニー・デミチク氏とともに小児甲状腺がんの診断と治療に一生を捧《ささ》げた方です。ベラルーシのみならず、チェルノブイリ原発事故後の甲状腺がんについては世界的な権威でした。

デミチク氏は、チェルノブイリ原発に近いゴメリ州などの甲状腺がん患者数（子どもと青年含む）の分布図を示しながら、次のように解説しました。

「チェルノブイリ原発に近づけば近づくほど患者が多くなっています。一方、０・０５〜０・３グレイ（50〜３００ミリシーベルト。グレイは『吸収線量』と呼ばれる放射能の単位。後述）といった微量な線量で甲状腺がんになった子どももいます。高線量の被ばくと微量の被ばくのどちらが甲状腺がんの原因なのか？　と考えると、どちらの被《ひ》ばくでも甲状腺がんを引き起こしうると言えます」「放射線生物学では『しきい値《ち》』ということが言われます。しかし、私の考えでは『しきい値』はない。どんなに低い線量でも、たとえ最小値の被ばくでも甲状腺がんを引き起こす可能性は十分あると思います」

「しきい値」とは、ある吸収線量（物質が吸収した放射線のエネルギー量。物質１キログラムあたり放射線による吸収エネルギー１ジュールを１グレイという）以下では健康影響が出ないとされる被ばく線量のこと。この「しきい値」の考え方を用いて日本では、「１００ミリシーベルト以下では健康影響は出ない」、または「ほかの原因によるがんと区別できないから放射線による被害かどうかわからない」と主張されています。

筆者はデミチク氏の講義のあとに、質問しました。

「ベラルーシは東西400キロ、南北は400キロ以上の国土に汚染が広がりました。日本でも原発から100キロ、200キロ圏内にも高濃度に汚染された地域があるにもかかわらず、福島県だけでしか甲状腺のスクリーニング検査をしていません。ベラルーシのほぼ全土で小児甲状腺がんの患者が出ているという今日の先生の話からすると、日本でも、福島県外の高濃度汚染地域で小児甲状腺がんが出る可能性があるのではないでしょうか?」

デミチク氏は「その可能性は十分ありえると思います。私たちは各州で、住民の甲状腺を検査しています。今も、移動式検診車で遠くの地域まで出かけていきます。私たちの経験から考えて、日本の福島県以外の地域でも、甲状腺がんが発見される可能性があります」と答えました。

チェルノブイリ原発事故以降、ベラルーシでは早くも二年後から小児甲状腺がんの患者が出はじめ、四年後には爆発的に患者が増えました。しかしIAEA（国際原子力機関）は、小児甲状腺がんがベラルーシで増えていることすら認めようとしませんでした。IAEAが原発事故の影響で小児甲状腺がんが増えていることを認めたのは、原発事故から十年後でした。

次のページのグラフは、日本全国の〇～十九歳の小児甲状腺がんの年間患者数の推移です。原発事故が起きる前の二〇一〇年までを見ると、チェルノブイリ原発事故（一九八六年）から四年目の一九九〇年に八十九人、九一年に七十九人、九二年に百十三人と増えて、それ以降の九〇年代は五十～七十人台を推移しています。

前述のように、ベラルーシでは原発事故後、小児甲状腺がんが急増しました。日本には、チェルノブイリ原発事故の影響がなかったのでしょうか？

そして二〇一一年、日本で原発事故が起きたあと、日本の小児甲状腺がんの

日本全国の小児甲状腺がん　0〜19歳（診断時年齢）患者数

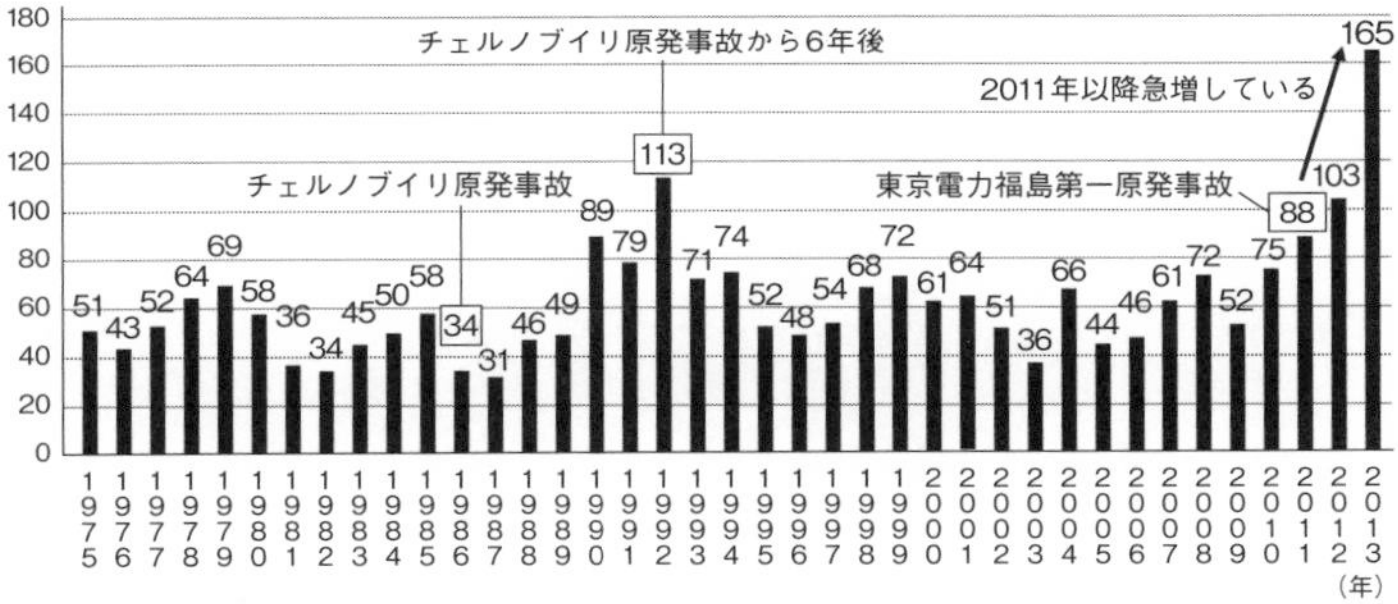

「全国推計値：がん罹患データ」（出典：国立がん研究センターがん情報サービス「がん登録・統計」〔全国がん罹患モニタリング集計〈MCIJ〉〕）より筆者作成

患者は再び増えているのです。

日本の原発事故後、福島県では子ども（原発事故当時）に甲状腺のスクリーニング検査を行っています。その結果を見ると、原発事故からの九年間で、実に二百五十二人もの子どもたちが甲状腺がんにかかっています（二百二人が手術ずみ、五十人が悪性診断を受けたもののまだ手術を受けていない。第四十回「県民健康調査」検討委員会資料〔二〇二一年一月十五日〕より）。子ども百万人に一人か二人と言われる小児甲状腺がんの患者が、福島県だけでこれほど見つかるのは異常ではないでしょうか。しかし福島県では、学校でのスクリーニング検査を縮小、または中止する方向で検討が進められています。また子どもたちのスクリーニング検査は福島県で行われているだけで、ほかの都道府県では何の対策もとられていません。

まず、原発事故後に小児甲状腺がんが増えている原因を調べるべきではないでしょうか。今後、日本の厚生労働省は東日本全域で、原発事故当時〇～十八歳の子どもたちを対象とした甲状腺超音波検診（対象年齢全員のスクリーニング検査）に取り組み、。文部科学省は、学校健康診断の検査項目に甲状腺の触診《しょくしん》および超音波検査を導入し、子どもたちと保護者の不安解消に努めてほしいと思います。

（川根眞也）

コラム5

「チェルノブイリ法」と年間1ミリシーベルト

わかな 中学生のときは、チェルノブイリ原発事故を知りませんでした。

野呂 事故が起きたのはわかなさんが生まれる前、一九八六年四月二十六日でした。原発周辺からヨーロッパ、北半球全体が放射性物質で汚染されました。原発があったウクライナ、隣接するロシアとベラルーシのうち、汚染がもっとも広がったのは原発風下に位置するベラルーシでした。政府と科学者たちは土壌を分析して、汚染地図を作りました（一六一ページ参照）。事故から五年後の一九九一年、チェルノブイリ法が制定されます。土壌汚染のレベルによって表（一六〇

チェルノブイリ原発事故により放射能被害を受けた ベラルーシ共和国内の区域別汚染情報(チェルノブイリ法に基づく)

区分	区域の名称	実効線量(mSv/年)	土壌汚染濃度kBq/㎡(Ci/k㎡)		
			セシウム137	ストロンチウム90	プルトニウム238,-239,-240
1	定期放射線管理対象居住区域	<1	37〜185 (1〜5)	5.55〜18.5 (0.15〜0.5)	0.37〜0.74 (0.01〜0.02)
2	移住権利区域	1〜5	185〜555 (5〜15)	18.5〜74 (0.5〜2.0)	0.74〜1.85 (0.02〜0.05)
3	第2次移住対象区域	5<	555〜1480 (15〜40)	74〜111 (2.0〜3.0)	1.85〜3.7 (0.05〜0.1)
4	第1次移住対象区域	−	1480< (40<)	111< (3.0<)	3.7< (0.1<)
	避難区域(立ち入り禁止区域)	1986年に避難したチェルノブイリ原発周辺地域			

提供:ベラルーシ政府

＊Ci(キュリー)は放射性物質が放射線を出す能力の単位で、事故時に使っていた。現在はBq(ベクレル)を用いる。1Ci⇒370億Bq

＊表の区分は左頁の地図と連動している。

地域と人口　ゴメリ州B地区の汚染区分の移行

区分	区域	2001年			2005年			2010年		
		総村数	総人口	子ども数	総村数	総人口	子ども数	総村数	総人口	子ども数
1	定期放射線管理対象居住区域(1〜5 Ci/k㎡)	138	20,889	3,443	162	23,390	4,119	185	30,684	3,850
								年間1mSv未満		
2	移住権利区域(5〜15 Ci/k㎡)	93	22,397	4,486	46	16,897	2,339	28	4,957	1,604
								年間1〜5mSv		
3	第2次移住対象区域(15〜40Ci/k㎡)	2	312	90	2	−	−	1	1	−
								年間5mSv超		
4	第1次移住対象区域(40Ci/k㎡以上)	1	2	−	−	−	−	−	−	−
								初期移住地区		
	合計	234	43,600	8,019	210	40,287	6,458	214	35,642	5,454

＊1Ci/k㎡⇒3.7万Bq/㎡

ベラルーシ共和国　放射能汚染図(事故後10年目のセシウム137汚染地図)

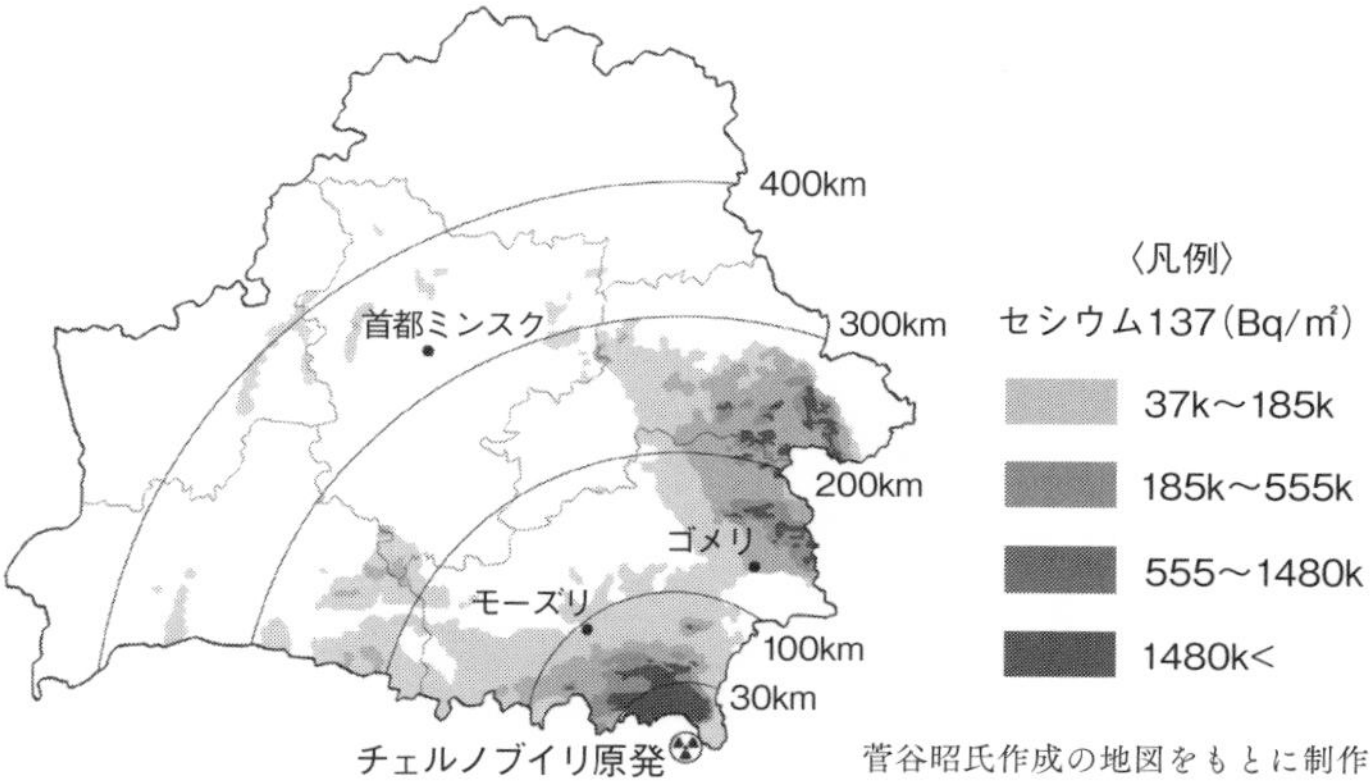

菅谷昭氏作成の地図をもとに制作

原発事故で放出された放射能から人間が受ける影響

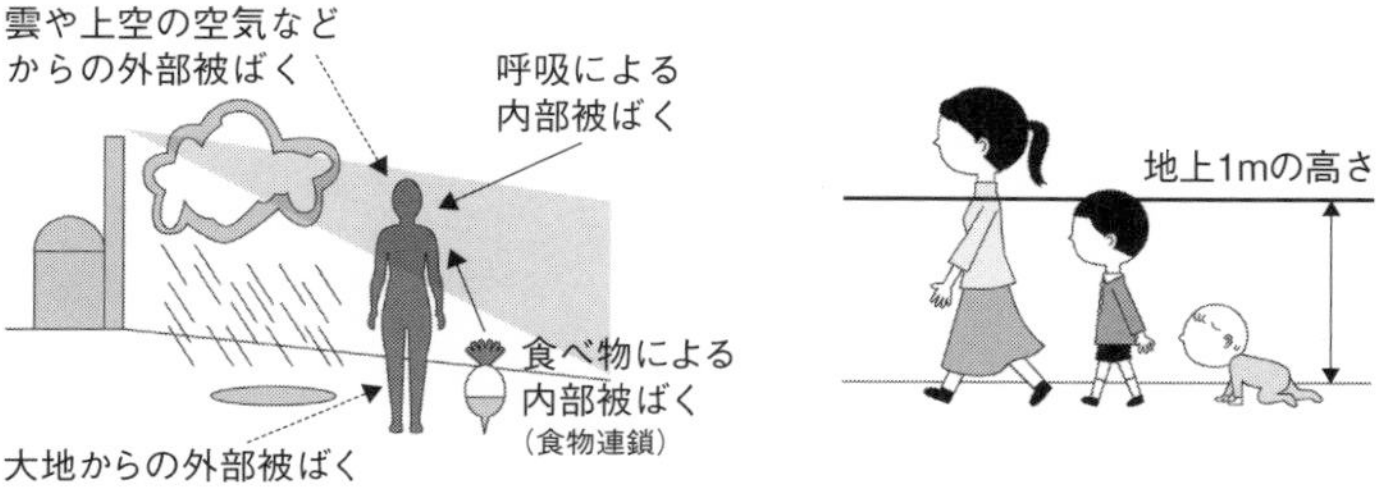

ベラルーシの線量限度年間1ミリシーベルトは大気や土壌からの外部被ばくと、吸入や食べ物からの内部被ばく(ホールボディカウンターによる体内被ばくの計測値)の両方が考慮されている(左図)。日本では地上1mの高さの空間線量のみで語られることが多い(右図)。

左図の出典:ユーリ・デミチク氏講演資料(2013年)

ページ上）のような区分が設けられ、これに基づいて、さまざまな政策や法律を作りつづけています。

わかな　「地域と人口」の表（一六〇ページ下）の矢印ってなんですか？

野呂　時間の経過とともに汚染区分の指定が解除され、区分が移行していくことを示しています。チェルノブイリ法の根幹となっているのはキュリーという単位です。これは、実測された土壌汚染の「密度（深さも含む）」を基準にしています。そして汚染地域を継続的に計測し、移住権利区域（区分2）だった村が、定期放射線管理対象居住区域（区分1、健康管理を受けながら住む）に移行していきます。現地の人から「私たちのエリアが、5〜15キュリー（区分2）から1〜5キュリー（区分1）になったのよ」と、喜びの声を聞きました。

わかな　区分1で年間1ミリシーベルト未満なんですか？　驚きです。ベラルーシの人が日本の状況を聞いて驚くのも理解できます。

野呂　私たちが保養で受け入れていた多くは区分1の子どもたちでしたが、それでも、重い病気をいつ発症してもおかしくないと言われていました。

わかな　空間線量を基準にする日本のやり方は、何が問題ですか？

野呂　空間線量は、原発から放射性物質が放出されている間は参考になります。でも時間がたてば、空間線量は下がりますが土壌汚染は残ったままです（セシウム137が半減するには約三十年かかると言われる）。地上1メートルの高さの空間線量だけでは内部被ばくや、子どもたちへの被ばくの影響は測ることができません（一六一ページ下の右図）。特に子どもへの被ばくの影響は、大人より大きいのに。

わかな　空間線量だけを見て安全だから住みつづけていいと言っていますが、考え方の根本がチェルノブイリと違う、ということなんですね。

解説　十五歳のあなたへ

野呂美加

わかなさんの告発を読んだとき、「十五歳のときの自分の家族だったら、どういう判断をしただろうか……」と考えました。おそらく政府の言うことに従《したが》うしかなかったと思います。放射能のことなど何もわからない。逃げる場もなかった……。あるいは子育てが一段落した世代にしてみれば、「子どもの希望をくんで避難《ひなん》までしたのに、親の気持ちも知らないで」と、わかなさんを責《せ》めたくなる言葉も出てくるはずです。

でも、原発事故は人災です。大人たちが、自分たちでも責任を取れない事態を招いた。子どもたちの信頼を踏《ふ》みつぶしたのは、当時の大人全員です。大人たちはその問題を解決して、謝罪し責任をとったのか？　と問いたい。わかなさんは不安や苦しみを心の中で、どうして？　これでいいのか？　と考えつづけ、孤立《こりつ》していきます。この状況は多くの家庭にも、また学校でも、地域社会全体でも起こっていたことです。

二〇一一年三月十五日中に20キロ圏内《けんない》の人々は避難終了したということですが、これもまた「自力」で避難することになった人たちがほとんどです。アメリカ政府は三月十六日、福島原発80キロ圏内の自国民への退去勧《たいきょかん》告《こく》を行いました。当然その範囲には、わかなさんが住んでいた伊達《だて》市も含まれています。

三月十六日の読売新聞の一面には、「身体に影響《えいきょう》の数値」という見出しがはっきりと出ています。つまり高線量の中で、知らぬうちに生活させられていたのです。

チェルノブイリの子どもたちの体調不良

私たちの団体「チェルノブイリへのかけはし」はチェルノブイリ原発事故で被災《ひさい》した子どもたちを日本に一カ月招待して、ホームステイ形式で転地療養《てんちりょうよう》（保養）させるという活動をしてきました。一九九二年から、福島で原発事故が起きるまでの十九年間、のべ六百四十八名の子どもたちを受け入れてきました。

汚染地に住み、日々、汚染されたものを食べている子どもたちは抵抗力が落ちて、慢性被《まんせいひ》ばくの症状、「チェルノブイリ・エイズ」と呼ばれていました。「いつ、白血病やがんなど重い病気を発症《はっしょう》してもおかしくない」という状態のことです。保養とは、きれいな環境と食べものによって抵抗力を取り戻し、細胞分裂の盛《さか》んな成長期にそれらの症状が出ないようにす

日本にホームステイ中のベラルーシの子どもたち

ること。保養は「予防」なのだと聞いて、主婦の私たちにも参加できる救援だと思いました。しかし、体調管理のために長期休暇を取らない日本人にはとてもわかりにくい概念《がいねん》で、保養受け入れに反対する意見も予想外に多くありました。

けれども、ドイツ（旧東ドイツ）ではじまった保養運動は、思いのほか子どもたちの健康状態を回復させたとして、世界中に広がっていきました。日本の保養運動には、小さな子どもをもつ母親たちから多く共感の声が寄《よ》せられました。

子どもたちは、ベラルーシ政府から血液検

査を禁止されていました。「ヒバクシャ（被ばく者）」の血のデータは国家《こっか》機密《きみつ》だからと、子どもたちを送り出すベラルーシの市民団体から説明されました。

しかし日本で保養中に怪我《けが》をしたため、緊急的《きんきゅうてき》に血液検査をした子どももいました。検査結果は、特に異常はないのです。けれど、体がだるい、起きられない、胃が痛くて食が細い、髪の毛が伸びない、体重や身長が増えないなど、どこかがおかしいのです。でも、各家庭で一カ月を過ごしてベラルーシに帰るとき、子どもたちは見違えるように元気になって、空港に現れます。「保養より薬を現地に送る方が効果がある」という批判もありましたが、子どもたちの元気な姿こそ、私たちの活動がつづいたもっとも大きな原動力でした。

「日本人には責任がある」と言われて

一九九四年、ベラルーシのゴメリ州チェチェルスク地区にある学校の体育教師、ウラジミール先生に案内してもらい、百軒以上の子どもたちの家を訪問しました。ウラジミール先生は、現地で子どもたちを保養地へ送り出す、ボランティア活動をしていました。

これまで日本に保養に来た子、今年保養に来る子。子どもたちに何がおこっているのかを母親たちに聞いてまわりました。どこの家庭も自給自足で、汚染された畑を耕《たがや》しています。数値（私たちは土の上1センチくらいを測っていました）で言えばだいたい0・1〜0・14マイクロシーベルト。高いなと思う0・3マイクロシーベルトの村は移住がはじまっていて、家が一、二軒、ぽつんと残っていました。当時はそれが、チェルノブイリ法にもとづいたベラルーシの政策だとは、私もわかっていませんでした。

森で採《と》ったキノコ、ベリー類が高濃度に汚染されていますが、ベラルーシの人々にとってそれらは日常的な保存食の材料です。ふだん食べている主食はジャガイモですが、これらはだいたい数ベクレルの汚染と考えたらよいでしょう。基準値上限のものを食べている人などいないのです。

母親たちは、みな同じような子どもの体調不良を訴えていました。子どもたちは、疲《つか》れやすく、風邪《かぜ》をひきやすくなり、治ってもまたすぐ風邪をひき肺炎になって入退院をくりかえす、視力が下がる、関節《かんせつ》が痛むなど、チェルノブイリ救援をしていた日本の医師の言葉で言えば、「更年期《こうねんき》の女性の不定愁訴《ふていしゅうそ》に似た」症状を小学生や未就学児童が訴えるのです。そして増加する小児甲状腺《しょうにこうじょうせん》がんが、母親たちをさらに不安にさせていました（大人と違って小児甲状腺がんは全身転移のスピードが速いので、発見が遅れたら死の危険もあり、誰が発症するのかわからないのです）。

子どもたちの様子を聞いて真っ青《まさお》になっている私は、ウラジミール先生から、「ヒロシマの医者が来てくれたからこれで子どもたちが助かると思ったけれど、その医者は『小児甲状腺がんが増加したのはベラルーシのヨード不足でチェルノブイリの放射能のせいじゃない』と言ったんだ。事故前はそんなことはなかった。体育の教師にわかることが、なぜヒロシマの医者にわからないのか？　それで救援が遅れた。あなたたち日本人は、この子どもたちを助ける責任がある！」という言葉を浴びせられたのです。

帰国して調べてみると、一九九〇年、ＩＡＥＡ（国際原子力機関）の国際チェルノブイリプロジェクトが発足し、広島にある放射線影響研究所の理事長、重松逸造《しげまついつぞう》氏がその諮問《しもん》委員会の委員長に就《つ》きました。そして翌年、同委員会は放射能と小児甲状腺がんの関係性を認めないと報告したのです。[*1]

原発事故以前、子どもの甲状腺がんは百万人に一人か二人という、大変めずらしい病気でした。その病気が、事故の二年後からベラルーシで発症

甲状腺がんの手術を受けたベラルーシ共和国の成人および子どもの数の増加

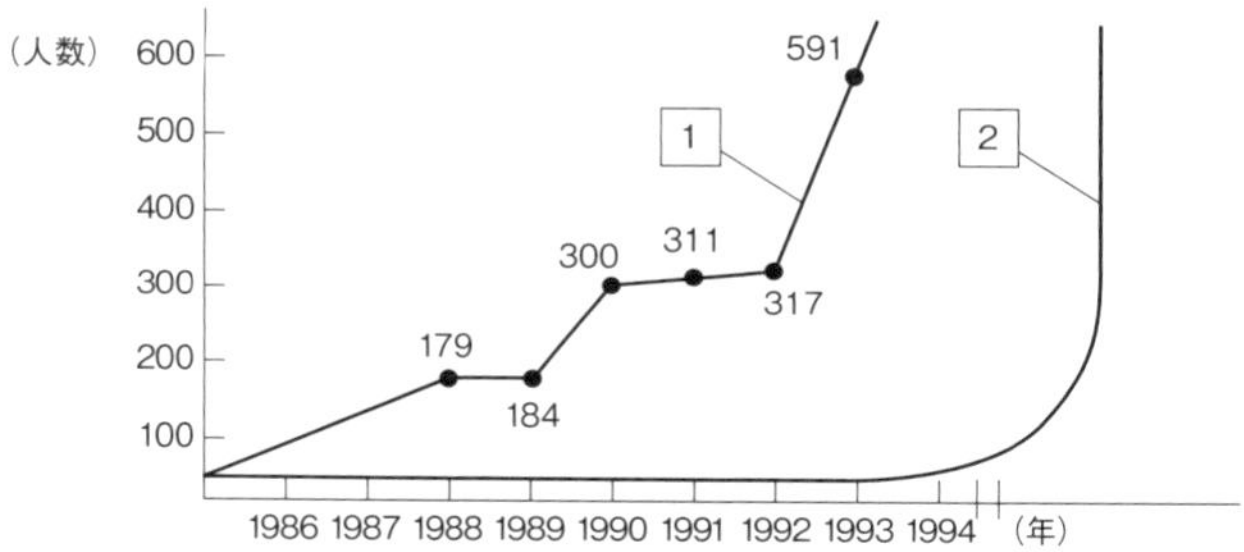

1：手術を受けた人数
2：40年後の甲状腺がんの増え方に関する国際チェルノブイリプロジェクトの予測

出典：V. B.ネステレンコ「ベラルーシ、ウクライナ及びロシアのチェルノブイリ原子力発電所事故の規模と結果」『法と経済』、ミンスク、1996年（未邦訳）。

しはじめていたのです。ベラルーシの医師たちは放射能の影響だと発表しました。上のグラフは、実際に甲状腺がんの手術が増えている（1の線）のに、被ばく線量で言えば四十年後に増えるとIAEAの国際チェルノブイリプロジェクトが予測している（2の線）ことへの疑問を、ベラルーシの核物理学者が示したものです。しかし、現地からの声は、国外では否定されました。

子どもたちへ、汚染されていな

い食品やベビーフードをたくさん送ることが必要でしたが、このＩＡＥＡの発表は、国際機関による救援活動を停滞させることになりました。その後も、チェルノブイリの子どもたちの間で、小児甲状腺がんは増加していきました。

事故から十年たってＩＡＥＡは結局、小児甲状腺がん増加の原因がチェルノブイリ事故である、と認めるしかありませんでした。彼らの目的は原子力産業の保護であり、ＩＡＥＡは被災者救済機関ではないと、多くのベラルーシの専門家や救援団体が気づいたのです。

1ミリシーベルトへの道

事故から八年後の一九九四年、私たちの保養運動は、ベラルーシ科学アカデミーの放射線生物学研究所所長から、どんな薬を送ったらよいかレクチャーを受けることになりました。

部屋に入るなり、所長から「被ばくの限界は年間総被ばく線量1ミリシーベルト。子どもはその二分の一か、三分の一。メモっとけ！」と言われて、わけもわからずメモしました。

そして、「日本の研究者は誰も彼も、どんな病気が増えたのかを聞きに来る。ヒロシマ、ナガサキでどうやって患者を治したのかは、誰も言わない。保養は体内の放射能を半減させるのだから、日本でも子どもたちを受け入れてほしい。被ばくしているとケミカルな（自然由来ではない）薬の副作用に耐《た》えられない。抵抗力を上げる自然由来のものを探してきてほしい」と一気《いっき》に所長はしゃべりました。どうやら、偶然《ぐうぜん》にも私の直前に訪問した日本の専門家に、ものすごく腹を立てていたようです。

ベラルーシの学校には、ガスマスクが人数分用意されています。旧ソ連[*2]では、核戦争や核テロへの危機対策が住民レベルで準備してあったのです。

けれど、肝心《かんじん》の原発事故のとき、誰もが上からの命令が来ないからと言って、何もできませんでした。原発事故の責任セクションの官僚《かんりょう》たちは「たいしたことはない」と隠蔽工作《いんぺいこうさく》をしましたが、彼らの予測を超えて放射能は広がりをみせ、最終的に子どもたちを列車に乗せて集団避難させました。

汚染の数値が高い期間は学校の外で遊ばないように管理し、あるいは特製の複合ビタミン剤を子どもたちに飲ませていたと言います。妊婦《にんぷ》さんや小さい子どもたちは、バスでほかの街に疎開させられました。残された住民は家畜《かちく》を非移住地のコルホーズ（集団農場）に移すなどしてから、避難となりました。持ち出せた荷物は三日分の衣類と食糧だけで、それ以外は「死の灰」（放射能のこと）が付着しているため、一切《いっさい》持ち出し禁止でした。

一九九一年、「チェルノブイリ法」の制定により「年間総被ばく線量1ミリシーベルトが限界」と、決められました（コラム5参照）。法律で年間総被ばく線量1ミリシーベルト以上の場所に住む人には、移住を選択する権利があるとなれば、国にとっては経済的な打撃も大きいのです。

なぜ、そんな厳《きび》しい決まりをつらぬくことができたのでしょうか。ベラルーシの科学者には、「どんな被ばく量でも健康への影響があるかもしれないのに、自分たちが国民の被ばく限度を決めていいのか」という葛藤《かっとう》と、土壌汚染と住民の疾患《しっかん》との関連性を考え、憎まれ役を引き受けるという勇気があったと言えます。一方で、ある日突然に、先祖代々の故郷を失った人たちの苦しみは、十年たっても二十年たっても消えることがありませんでした。

強制移住という決断の意味

二〇一四年、チェルノブイリ30キロ圏内の立ち入り禁止区域の見張り小屋にめずらしく、土壌線量の区分ではなく村の空間線量が書いてありまし

チェルノブイリ原発30km圏内の立入禁止区域内。見張り小屋前に設置された区域内の村の数値。0.53マイクロシーベルト／時。

た。0・53マイクロシーベルト。ベラルーシではもちろん、こんな空間線量の高いところに人は住んでいません。見張り小屋のおじいさんに「日本人ですけど写真をとってもいいですか?」と聞いて撮影していると、おじいさんに「フクシマはどうだい?」と聞かれました。「1マイクロシーベルトでも住まわされている」と言うと、おじいさんは烈火《れっか》のごとく、怒り出しました。「なんてこったあ、人間が人間が……そんなところに住んではいけない……」。強制移住させられて「村に帰りたい」と国を恨《うら》んでいた人たちにも、この日本の話をすると驚かれました。強制移住が、ベラルーシの科学者たちの最善の決断だったと納得したようで、人々の怒りがほどけていく感じがしました。

しかし、チェルノブイリの事故対策でも、子どもたちに安定ヨウ素剤（のどにある甲状腺の被ばくを防ぐ）を飲ませなかったこと、事故の一週間後にメーデーの行進に子どもたちを参加させたこと、この二つは「官僚の保《ほ》身《しん》のため」だったと、責任を問う声が今でもあります。

福島の原発事故直後もまた、安定ヨウ素剤を飲ませず、高校の合格発表や、クラブ活動を普通に行い、原発から放出《ほうしゅつ》された放射能を無視する風潮が尊《とうと》ばれました。日本は事故後、それまで年間1ミリシーベルトだった線量限度基準を緊急時《きんきゅうじ》の対応として変更し、年間20ミリシーベルトでも、学校で子どもたちが勉強させられることになりました。これに対して内閣《ないかく》官房参与《かんぼうさんよ》だった小佐古敏荘《こさことしそう》氏は涙を浮かべて抗議し、退任しました。*3

IAEAなど国際機関の見解（移住のストレスのほうが被害が大きい、

など）にも屈《くっ》せず、チェルノブイリ法を成立させたベラルーシの科学者たちは、科学者としてなすべきことを果《は》たしたのだと思います。「村に帰りたい」と国民に恨まれ、批判を引き受けながら他界《たかい》した方々もたくさんいました。しかし日本には、批判されても住民の命を守ろうと言える、責任者がいませんでした。それどころか、ヒロシマの専門家はベラルーシで原発事故と小児甲状腺がんの関連を否定し、チェルノブイリにかかわってきた日本の原爆研究者は福島で、ヨウ素剤の投与《とうよ》は不要だと言いました。チェルノブイリの事故時、ヨウ素剤を飲ませたポーランドでは、小児甲状腺がんが出なかったことを知っていたにもかかわらず。

つまり私たち日本人も、ゴメリ州で子どもたちを保養に送り出していたウラジミール先生と、同じ立場になったのです。

黒い雨裁判とヒロシマの闇

チェルノブイリの子どもたちの症状が、ヒロシマ・ナガサキの「低線《ていせん》量内部被《りょうないぶひ》ばく」と共通していたとわかったのは、福島原発事故のあと、広島で自身も被ばくした肥田舜太郎《ひだしゅんたろう》医師に会ったときです。

「チェルノブイリの子どもたちは血液にさして異常もないのに体調がおかしいのです」という話を肥田先生にすると、「それは原爆《げんばく》ぶらぶら病と同じだね」と言われました。ビキニ環礁《かんしょう》の水爆《すいばく》（アメリカによる実験）被害を受けたマグロ漁船第五福竜丸《だいごふくりゅうまる》の乗組員、大石又七《おおいしまたしち》さんに話を聞いたときも、「突然体がだるくなったら横になって休むしかなかった」とおっしゃっていました。ベラルーシの科学者たちは、この被ばく者たちに特有の症状、低線量内部被ばくの治療法について、日本の医師たちから聞きたかったのではないでしょうか。

原爆投下から七十五年後の二〇二〇年夏、「黒い雨」裁判の判決が出ました。黒い雨（放射能雨）を浴《あ》びて健康被害を受けた人々が国を相手に起こした裁判で、原告《げんこく》（訴えた人）を被ばく者と認める判決が出ました。しかし残念ながら、国は控訴《こうそ》しました。

原爆ぶらぶら病、ビキニ被ばく、チェルノブイリ・エイズはみな低線量被ばくの初期症状であり、必要な時期に保養や静養ができなければ、さまざまな病気を発症します。低線量被ばくをヒロシマ・ナガサキの研究者が軽視してきたことで、黒い雨の被ばく者もまた、苦しめられているのです。

汚染された雨によって大地や食べ物が汚染し、長期にわたって内部被ばくしつづける。この被害は「線量主義」では説明がつきません。しかし、私たちが今、低線量内部被ばくの被害を白日の下にさらさなければ、世界のどこかでまた原発事故が起きたら、どうなるでしょうか。原子力産業とともに働く国際機関からやってくる専門家たちは、今後も「原爆の被ばくに比べればこのくらいの被ばくは大丈夫」と言いつづけるでしょう。

ベラルーシの汚染地域の子どもたちは今でも、学校のクラスごと三週間、保養のためにサナトリウムで過ごします。この保養体験が、「あなたたちを社会が守っている」というメッセージとして子どもたちに伝わるように配慮《はいりょ》している、とベラルーシの人は言います。

わかなさんは、「自分以外の子どもたちはどうなるの?」と問いかけているように思います。「どうしてママはチェルノブイリの子の保養をしないの?」と自分の子どもから言われてハッとして、チェルノブイリの子どもの里親になったという方がたくさんいます。この問題を、自分と家族だけのことにすり替《か》えてはいけないし、私たちは、命を守ることと経済的損失を天秤にかけるという間違いを終わらせないといけないと思います。この瞬間から、みんなが健康で笑って暮らせる未来のための選択をしてほしい。

十五歳からの告発は「未来からの警告」なのです。

（NPO法人チェルノブイリへのかけはし代表）

注

1 The International Chernobyl Project an Overview, IAEA, 1991.

2 ソビエト社会主義共和国連邦（一九二二年成立、一九九一年崩壊）は十五の共和国で構成され、土地は国の所有であり私有制ではなかった。一九八六年のチェルノブイリ原発事故ではロシア、ウクライナ、ベラルーシの各共和国が汚染された。特にウクライナに位置するチェルノブイリ原発はベラルーシの国境から10キロ地点にあり、風下だったベラルーシは国土の四分の一が汚染され、ソ連崩壊後の経済困窮にも悩まされた。

3 二〇一一年四月二十九日、小佐古氏は年間20ミリシーベルト基準に対して「この数値を乳児、幼児、小学生に求めることは、学問上の見地からのみならず、私のヒューマニズムからしても受け入れがたい」と抗議、涙の記者会見がテレビで放映された。

わかな
1995年、福島県生まれ。2011年5月、福島県伊達市から山形県に避難。2015年より北海道在住。現在は北海道各地で経験を伝える講演活動を行う。

わかな十五歳
中学生の瞳に映った3・11

2021年3月11日　第1刷発行
2022年3月11日　第2刷発行

著　者　わかな

装画・装丁　三井ヤスシ
発行者　中野葉子
発行所　ミツイパブリッシング
〒078-8237 北海道旭川市豊岡7条4丁目4-8
トヨオカ7・4ビル　3F-1
電話　050-3566-8445
E-mail　hope@mitsui-creative.com
http://www.mitsui-publishing.com

印刷・製本　モリモト印刷

ISBN 978-4-907364-22-9